열일하는

파금기사

열일하는 과금 기사 1

초판 1쇄 발행 2021년 11월 29일

지은이 | 박건
발행인 | 신현호
편집장 | 이호준
편집 | 송영규 최종건 정재웅 양동훈 곽원호 조정범 강준석 최성화
편집디자인 | 한방울
영업 · 관리 | 김민원 조인희

펴낸곳 | ㈜ 디앤씨미디어
등록 | 2002년 4월 25일 제20-260호
주소 | 서울시 구로구 디지털로 26길 111 JnK디지털타워 503호
전화 | 02-333-2513(대표)
팩시밀리 | 02-333-2514
E-mail | papy_dnc@dncmedia.co.kr
블로그 | blog.naver.com/gnpdl7

값 8,000원

ISBN 979-11-364-2824-0 04810
ISBN 979-11-364-2823-3 (SET)

박건 판타지 장편소설
Papyrus Fantasy Story
열일하는
PAPYRUS
파피루스

prologue

부적응자

prologue
부적응자

자주 생각했다.

만약 삼국시대에 태어났다면.

나는 관우 같은 존재가 되었을 텐데.

나는 장비 같은, 허저 같은, 조자룡 같은, 여포 같은 존재가 되어 천하에 위명을 떨쳤을 텐데.

그러나 안타깝게도.

나는 평화로운 현대사회에 태어났다.

"저 새끼! 저 새끼가 우리 아들을 때렸어요! 세상에 얼굴 다 망가진 거 봐! 저런 새끼는 감방에 보내서 콩밥을 먹여야 해"

초등학생 때 중학생을 패고 다녔다. 중학교 때는 고등학생을 패고 다녔고, 고등학교 때에는 한 지역을 아우르며 [일진 사냥꾼]이라는 명성 아닌 명성을 누렸다.

어깨에 힘 좀 주고 다니는 양아치들도, 심지어 대기업을 뒷배로 뒀다는 조직폭력배 놈들도 내 앞에서는 함부로 설치지 못했다.

특히 고등학교 2학년 때 작정하고 함정을 팠던 조직폭력배 마흔 명을 혼자서 쓸어버린 후로는, 평소 잘난 척하던 꼰대들도 감히 내 앞에서 입을 털지 못했다.

결국 무혐의로 경찰서를 나서는 나를, 평소 안면이 있던 전투 경찰 세민이 형이 불렀다.

"야! 장군!"

"아, 그렇게 부르지 마요."

"그럼 장군을 장군이라고 부르지 뭐라고 부르냐? 부적응자?"

쯔쯔-.

혀를 차는 모습에 주먹이 부르르 떨렸지만 참았다. 아무리 나라도 전투 경찰한테 덤빌 정도로 머저리는 아니었으니까. 전투 이능을 전문가의 경지까지 끌어올려야만 자격증을 얻을 수 있는 전투 경찰은 기가스 소환이 가능한 전쟁병기. 아무리 잘 싸워도 맨몸으로 대적할 수 있는 존재가 아니다.

"대체 왜 이리 피곤하게 사냐? 그냥 넘어가려면 넘어갈 수도 있는 일이었는데…… 지금이야 이렇게 풀려나지만 미성년자라 가능한 일이야. 언제까지 이렇게 흘러가지는 않을 거다.”

“그러니까 엎드려서 박박 기라고요?”

“그런 말이 아니잖아. 인마! 에휴…… 이 녀석아. 이래 봐야 남는 게 없단 말이야.”

“남는 게 왜 없어요?”

나를 걱정해 하는 말이라는 걸 알면서도 툴툴거리며 답한다. 왜냐하면 경찰서 앞에는…….

“형! 걱정했어요!”

“거봐! 내가 무혐의라고 했잖아! 정당방위라고!”

“재연이 오빠~! 출소 축하해요!”

“이 골빈 년아, 이거 출소 아니거든?”

경찰서 주차장에 있던 친구들이 환호하며 나를 반긴다.

나는 웃었다.

“친구들이 있잖아요.”

“……글쎄.”

세민이 형이 씁쓸하게 웃었지만 나는 그 웃음의 의미를 알지 못했다.

고등학교를 다니고.

“아, 미안! 나 학원가야 해서.”

졸업하고.

"아쉽다. 이제 자주 못 보겠네."

"뭐, 재연이가 공부 타입이 아니긴 했지."

"그래도 재연이는 뭘 해도 잘할 거야!"

대학에 가고.

"아, 뭐야. 재 깡패야? 경찰을 부르면 되지, 왜 거기서 싸우고 지랄이야?"

"아쉽지만 이 성적으로는 경찰대학교에 갈 수가 없어."

그리고.

"사관학교로 편입? 미안하지만 그곳은 자네 같은 반골을 받지 않는다네."

"다 무혐의였습니다."

"쯔쯔. 무혐의라고 정말 아무 기록도 안 남을 거라 생각하나?"

그리고.

"기감(氣感)이 너무 떨어지는데. 이 수치로는 어떤 영능도 입문자의 경지를 넘지 못할 거다. 어릴 적부터 알았을 텐데 공부도 안 하고 기술도 안 배웠어?"

"아, 죄송해요. 이런 성적으로는 좀."

"얻다 대고 인상을 써? 너 이새끼 양아치야?"

어른이 되고 사회인이 되고 나서야.

"죄송합니다."

"어렵겠는데요."

—본 사에 지원해 주셔서 감사합니다. 본 사는 한재연 님과 함께하는 방향을 진지하게 숙고했습니다만, 아쉽게도 이번에는 함께하기 어렵게 되었다는 말씀을 전하게 되었습니다.

그리고.

그제야.

나는 세민의 형의 말을 알게 되었다.

나는 모두의 동경과 사랑을 받는 영웅이 아니다. 조폭조차 눈을 깔고 다니는 강자는 더더욱 아니다. 훌륭한 자식도, 자랑스러운 친구도 되지 못했다.

그저 부적응자.

과도할 정도의 자존감을 가진 난 사회의 부품이 되지 못했다. 어디에서도 고개 숙이지 못했고 선을 넘는 상대를 만나면 주저 없이 주먹을 드는 양아치였기 때문이다.

중학생 때, 고등학생 때 나는 [일진 사냥꾼]이라는 이름을 가진 전설적인 존재였다.

그러나 지금.

대학교를 졸업한 난 알바 하나 제대로 못하는 밥버러지에 불과하다.

"아, 저 정신병자 새끼 드디어 전역하네."

"저놈 그놈이지? 대장님 들이받았다는? 진짜 우리 대장님이 착해서 살았지."

"고문관 새끼."

"진짜 다행이다. 저 새끼가 어빌리티라도 타고났으면 사고를 얼마나 쳤겠냐?"

"시대가 어느 시대인데 빡하면 주먹질이야? 무림인이세요?"

이젠, 나도 안다.

중고등학교 때의 나는 주먹질이나 하고 다니던 양아치였고.

대학교 때의 나는 지잡대나 겨우 가는 멍청이였으며.

군대에 있을 때의 나는 항명을 일삼는 관심 병사였다.

"……세민이 형의 말이 맞았네."

부적응자.

나를 비범하다 말하는 사람들이 있고 그들의 말 역시 일부 맞는 말이지만…… 그래 봐야 나의 재능과 적성은 현대사회와 맞지 않았으니까.

결국 남는 건 한탄뿐이다.

"삼국시대에 태어났다면……."

나는 관우 같은 존재가 되었을 텐데.

나는 장비 같은, 허저 같은, 조자룡 같은, 여포 같은 존재가 되어 천하에 위명을 떨쳤을 텐데.

"취침하겠습니다!"

수면 캡슐에 눕는다.

내일이 전역일이었지만 조금의 기쁨도 없다. 전역증을 들고 사회로 나가 봐야 나는 아무짝에도 쓸모없는 잉여 인간에 불과하다는 사실을 알고 있었기 때문이다.

그리고 그렇게 잠이 들었을 때.

나는.

다른 세상에 서 있었다.

"평민 사냥이다!"

"와하하하하!"

"꼬마 머리통은 1점! 계집 머리통은 2점! 사내놈 머리통은 3점이다!"

순간.

내가 삼국지 속에 들어왔다고 착각했다는 사실을 비웃지 않았으면 한다. 전역일이 다가오며 매일 생각하던 일이라 나도 모르게 그렇게 되었다.

물론 그게 아니라는 사실을 깨닫는 데에는 그리 긴 시간이 필요치 않았다. 내 눈에 들어온 사람들 모두가 백인이었기 때문이다.

"사, 살려 주세요. 나으리! 시, 시키는 건 다 할 테니 제발 살……."

촤악!

화려한 갑주를 걸친 사내가 애원하고 있던 여인의 목을 쳐 날려 버린다.

"아……."

나는 그 모습을 멍하니 보고 있었다. 떨어져 바닥을 구르는 머리. 엄청난 기세로 솟구치는 피. 그 모든 장면이 마치 슬로우 모션처럼 망막에 새겨진다.

'평민 사냥…… 이라고 했어.'

그냥 평민이 있고 귀족이 있는 정도가 아니다.

평민 사냥.

그 네 글자만 가지고도 이 세상이 어떤 곳인지 대충 알 수 있다. 지금 이 세계가 얼마나 야만적이고 참혹한 곳인지.

"핫하! 죽어라!"

"이것들아! 시시하게 서 있지 말고 도망을 쳐야지!"

화려한 갑옷을 입은 젊은 남녀들이 비명을 지르며 흩어지는 사람들을 잡아 죽이고 있다.

잘려 날아다니는 팔다리, 땅을 구르는 머리통, 쏟아지는 내장과 피…….

만약 다른 사람이 이런 상황에 처했다면 패닉에 빠졌을 것이다. 현실을 받아들이지 못하고 시간을 낭비했겠지.

그러나 나는 패닉에 빠지는 대신.

근처에 있는 기둥 아래에서 돌덩이 하나를 뽑아 들었다.

"……좋아."

크기에 비해 무거운 돌이다. 흔히 말하는 주춧돌.

나는 그것을 입고 있던 겉옷으로(어느새 허름한 옷을 입고 있었다.)감싸 들었다.

"하하! 건장한 남자 놈! 3점이로구나! 오! 머리색이 까맣잖아?"

그리고 그런 나를 향해 커다란 말을 탄 금발의 서양인이 뛰어온다.

두근! 두근!

두근두근!

쿵쾅쿵쾅!

심장이 미친 듯이 뛴다. 혈관의 피가 마치 화살처럼 쏘아져 온몸을 휘도는 게 느껴진다.

나는 옷으로 감싼 돌덩이를 들고 나를 죽이려 달려오는 [적]을 마주 보았다.

말을 타고 있기에 시점이 높다.

무게중심은 안장을 밟은 오른발.

들고 있는 검은 1~2킬로그램 정도, 달리는 말의 속도는 시속 40킬로미터 안쪽. 몸은 단련되어 있지만 검에 담긴 기운은 없다.

"좋아."

한눈에 모든 상황이 인식된다. 나는 녀석이 접근해 검을 휘두르는 순간 확 몸을 수그렸다.

"어~ 딜!"

나를 베기 위해 갑주의 사내가 몸을 조금 더 기울인다. 그렇게 무게중심이 중심선을 완전히 벗어나는 순간!

나는 옷가지로 감싼 돌덩이를 들었다.

콰득!

"엇?"

묵직한 충격과 함께 휘둘러진 검이 돌덩이에 단단히 박힌다. 화려한 갑주의 사내는 깜짝 놀라 칼을 회수하려 했지만 내가 돌을 놔 버리자 묵직한 무게에 휘청거린다.

나는 손을 내뻗어 녀석의 팔을 잡아당겼다.

"어어엇?"

무게중심이 확 하고 기울자 자세가 완전히 무너져 버린다. 하다못해 들고 있던 검이라도 놓았으면 괜찮았을 테지만 그러지 못한 사내의 몸이 속절없이 낙마한다.

퍽!

그는 낙법을 치려했고 심지어 그 동작이 꽤 능숙하기까지 했지만 그 시도는 성공하지 못했다.

내가 잡고 있던 녀석의 팔을 흔들어 그 시도를 무마시켰기 때문이다.

"아, 안……."

입을 쩍 벌린 녀석의 머리가 땅과 충돌하며 녀석의 뒤통수가 자신의 등과 닿는다.

우드득!

확인할 필요도 없는 즉사(卽死)이다.

"이히힝!"

깜짝 놀란 말이 제자리에 멈춰 섰지만 나는 그저 멍하니 쓰러져 있는 갑옷의 사내를 보았다.

"……죽었네."

자의로 사람을 죽였다.

문자 그대로 대참사였다. 현대사회에서 용서받을 수 없는 범죄 행위. 교도소에 갇혀 긴 시간을 썩어야 하는, 어쩌면 영원히 나오지 못할지도 모를 중범죄.

하지만.

쿵! 쿵! 쿵. 쿵…….

미친 듯 박동하던 심장이 차분해지는 것을 느끼며 돌덩이에 박혀 있던 검을 뽑아 든다. 다행히 날이 좀 상했을 뿐 멀쩡해 보인다.

"으악! 제, 제발 살…… 컥!"

"아! 그거 내가 팔 잘라 놨는데 가로채기 있어?"

"죽이는 게, 임자지! 3점!"

산속에 위치한 고즈넉한 분위기의 마을은 인세의 지옥이 되어 있다.

마을 주민의 수는 100명이 넘고 갑주 남녀들의 숫자는 고작 8명에 불과한데 마치 양 떼 사이에 뛰어든 사자처럼 날뛰고 있다.

"하하."

삼국시대에 태어나길 바란 적이 있다.

만약 그랬다면 나는 관우 같은 존재가 되었을 텐데. 여포 같은 존재가 되었을 텐데.

전설적인 무장으로서 천하에 위명을 떨쳤을 텐데.

"……좋아."

검을 들고 마을의 외곽으로 돌기 시작했다.

평생 가슴에 품고 살았던 망상을.

증명할 시간이었다.

chapter1.

이세계 20년차에 로그아웃이라고?

chapter1.
이세계 20년차에 로그아웃이라고?

"영주님, 기침하실 시간입니다."

차분한 목소리에 잠에서 깬다.

자리에서 일어나 가볍게 스트레칭하자 하녀장 플라워가 들고 있던 세숫대야를 내민다. 가볍게 세안하고 플라워의 어깨에 걸쳐 있던 수건으로 물기를 닦자 또 다른 하녀가 준비하고 있던 옷을 걸쳐 준다.

"일정은?"

"조례 시간에 상단 상인들이 접견을 요청했습니다. 그리고 오후에는 병사들과의 훈련이 있지요."

"아, 마크 상단이 온다던 게 오늘이었나."

나는 플라워에게 치장을 받은 뒤 마지막으로 바스타드 소드를 받아 차고 방을 나섰다.

"안녕히 주무셨습니까, 영주님."

"좋은 아침입니다, 영주님."

정원을 손질하고 있던 정원사와 영주관을 청소하고 있던 하인들이 모자를 벗어 예를 취한다. 나는 대충 고개를 끄덕여 답하고 집무실로 향했다.

전역 전날. 영문도 모른 채 이 중세 랜드에 떨어져 어느새 20년이 지났다.

그리고 그 20년 동안 맨몸으로 떨어진 흑발의 이방인은 한 지역의 영주가 되었다.

'힘들었지.'

그 과정은 그야말로 파란만장했다.

평민 사냥을 하던 귀족들을 모조리 죽이고 그들의 사냥감이었던 화전민들을 이끌고 산속으로 들어갔다.

세금이 두려워 산에 숨어 살던 화전민들과 영지의 수탈을 버티지 못하고 탈출한 영지민들. 권력자들에게 밉보인 도망자들을 규합해 숲속에 산채를 만들었다.

수하들을 훈련시켜 토벌을 나선 정규군을 몇 번이고 무찔렀다.

용병단을 만들어 영지전에 참가하고 단독으로 전장을 달려 적장의 목을 베었다.

그리고 마침내 귀족 작위와 영지를 받기까지.

'길었고.'

그러나 그 결과 나는 왕국 모든 평민들의 우상이자 입지전적인 성공 신화가 될 수 있었으며.

귀족들의 눈에 박힌 가시이자 영주들의 수치가 될 수 있었다.

킬리언스 산맥의 흑사자.

한 브론즈 소드 남작.

그것이 이 세계의 나를 가리키는 이름이다.

'젊어 보이는데. 마흔이라더니 스무 살 정도로 보이지 않는가?'

'커, 위압감이 엄청나군.'

'저자가 킬리언스 산맥의 흑사자인가.'

'정말로 야만족이 영지를 얻을 줄이야.'

진기를 돌려 감각을 날카롭게 세우자 수군거리는 목소리들이 들렸지만 그마저도 내가 상석에 앉자 순식간에 잦아든다.

나는 그들 중 가장 앞에 있는 사내를 내려다보았다.

"그래, 오랜만에 보는군."

"대단한 전사라는 건 알고 있었지만…… 이방인의 몸으로 영지를 얻어 내시다니. 이 장사치는 감탄을 금할 수가 없군요. 그 어떤 공을 세워도 귀족들이 무시할 거라 생각했는데."

"모가지가 간당간당하면 어쩔 수 없는 일이지."

피식 웃어 준 후 물었다.

"그나저나 이런 변방까지 무슨 일이지?"

"짐작하시다시피 용맥(龍脈) 때문입니다."

이곳, 아르데니아는 하나의 거대한 땅덩어리로 이루어진 대륙이다. 여기까지야 평범한 일이지만 조금 특이한 점이 있다.

대륙의 모양이, 정사각형이라는 점이다. 심지어 선도 그어져 있다.

'인위적이란 말이야.'

이 세상은 바둑판처럼 생겼고 아주 반듯한 선(주로 강이나 산맥 등으로 이루어져 있다.)이 죽죽 그어져 있다.

그리고 그 선은 대지의 기운이 흐르는 영맥(靈脈)이기도 하다.

영맥은 그 자체만으로 강대한 힘을 품고 있다. 대륙을 가득 채운 마수들이 감히 접근하지 못하는 것이 바로 그 증거라 할 수 있겠지.

그리고 영맥과 영맥, 그러니까 선과 선이 만나는 착점(着點)은 거대한 영기가 집중되는 용맥(龍脈)이 되며 용맥의 영기는 그 장소를 특별하고 특수한 공간으로 만든다.

1년에 8모작을 지을 수 있고 모조리 풍년이 드는 평야라든지.

마정석이 채굴되는 광맥이라든지.

영약이 자라나는 비처라든지.

용맥은 하나같이 귀중한 가치를 지닌 장소이며 숨겨져 있는 경우는 거의 없기 때문에(왜냐하면 강물과 산맥의 형태를 보면 위치가 뻔하니까.)당연하게도 주인이 있다.

아르데니아 대륙을 지배하고 있는 명(明)제국과 신성제국, 크리스털 연맹, 그리고 그보다는 작아도 결코 무시할 수 없는 여덟 개의 왕국(내가 자리 잡은 크롬 왕국도 여기에 들어간다.)모두가 용맥을 기반으로 덩치를 키웠으니 자연스러운 흐름이다.

그리고 당연하지만 우리 영지에도.

"평온의 정원을 이용하고자 합니다."

내 영지의 위치는 대륙의 구석. 바둑판으로 치면 우상귀 3-3.

변두리 영지에 있는 만큼 용맥의 힘도 미약한 편이지만 그렇다 하더라도 평온의 정원은 우리 영지에 있는 가장 귀한 것이라 해도 과언이 아니다.

'평온의 정원이 가진 효과는 [상태 유지].'

4급 특성으로 가장 낮은 편에 속하는 상태 유지의 효과는 간단하다.

"부상자가 있는 것 같지는 않았는데."

평온의 정원에 들어선 대상의 상태는 [악화(惡化)하지

않는다.]

즉, 칼에 찔려 당장 죽을 위기의 환자라도 평온의 정원에 들어서면 적어도 죽지는 않게 된다는 말이다. 크게 회복이 되지는 않지만 신비한 기운이 적어도 상황이 악화되는 것을 막아 주는 것.

'지구에 있었으면 그냥 심령 스팟 정도였겠지만.'

그러나 이 중세 랜드에서 평온의 정원은 기적의 생명 유지 장치다. 아무리 강대한 저주에 걸렸다 해도, 불치병에 걸려도, 치명상을 입어도 최소한 죽지는 않는 공간!

전 영주였던 머저리 녀석은 그 귀중한 공간을 정원으로 만들어 귀족들의 휴게실로 삼았지만 나는 이 공간을 제대로 쓰기 위해 외과 수술이 장기인 인재들을 모으고 공간 활용을 위한 [병원]의 설립을 진행 중이었다.

"물론 환자는 없습니다, 영주님. 저희는 그 공간을 다른 방향으로 써 보려는 것이지요."

"다른 방향?"

"네. 저희 상당이 요번에 태양초라는 영초를 얻었는데 다른 게 아니라 이 풀들이 너무 잘 죽어서……."

그를 시작으로 상인과 가신들의 제안과 보고가 이어진다.

"북악산 쪽에서 곰 형태의 마수가 목격되었는데……."

"17명의 부랑자들이 영지에 망명 신청을 해 왔습니다.

미리 말씀하신 조건대로 심사 중이며…….”

“세금 계산이 완료되었습니다. 2할의 감세에도 영지의 재산이 이토록 늘어나다니 영주님의 혜안(慧眼)이 놀랍습니다.”

조례가 끝나고 상인과 가신들이 흩어진다. 나는 내 옆에 서 있는 플라워에게 말했다.

“대기해.”

“네, 영주님.”

슥 물러나는 플라워를 두고 테라스로 향한다. 제법 덩치가 있는 영주성이었기에 그것만으로도 내 영지가 한눈에 들어왔다.

“내 영지…….”

그리 크지 않은 영지다. 영지민의 숫자는 3000명 남짓에 불과하며, 영지의 태반이 산이라 농업을 부흥시키기도 힘들고 짐승과 마수의 등장이 잦은 척박한 땅.

하지만 그럼에도…… 영지를 내려다보는 것만으로도 가슴이 뿌듯해진다.

20년 동안 많은 일이 있었다. 많은 일을 경험했다.

사람을 죽였고 사람들을 이끌었다. 그들을 훈련시켜야 했고 지켜야 했고 명령해야 했다.

큰 부상을 입어 정말 죽음을 각오해야 했던 순간도 있었고 아군 하나 없는 상황에서 귀족들과 담판을 지어야 했다. 나를 야만인으로 보는 야만인 놈들과 협상해야 했으며 틈만 나면 뒤통수치려 드는 망할 왕 놈에게 거짓 충성을 맹세해야 했다.

"돌아보니 엄청나네."

사실 평안하고 행복한 시간은 아니었다. 이 미개한 세상에 그런 게 어디 있겠는가?

대한민국의 널리고 널린 백수조차도.

이 세계의 왕보다 평안한 삶을 산다.

엎어지면 코 닿을 거리에 온갖 종류의 음식이 가득한 식당들이 즐비하고 수도꼭지만 틀어도 온수가 콸콸 쏟아진다.

스마트폰을 통해 네트워크에 접속하면 영화, 드라마, 소설 등등 온갖 즐길 거리가 가득하고 누구나 푹신하고 청결한 침실을 가지고 있다.

만약 이 세계로 끌려온 것이 내가 아닌 다른 사람이었다면 그는 아르데니아의 삶에 치를 떨었을 것이다. 햄버거와 콜라를 꿈에서도 그리고, 불결한 푸세식 화장실에 진절머리를 냈겠지. 이 중세 랜드에서 24시간 내내 고통받고 악의를 불태우며 눈물로 밤을 지새웠을 것이다.

그러나 나는 다르다.

왜냐하면 이곳에서야말로…… 나는 정말로 [나]일 수 있었기 때문이다.

쿠구구궁!

"무슨…… 지진?"

난데없는 진동에 놀라 몸을 숙인다. 테라스 밖에서 대기하고 있던 플라워가 달려온다.

"영주님! 괜찮으십니까?"

"그래, 괜찮다. 그나저나 무슨 일……."

쿠구궁!

또다시 땅이 흔들린다. 나는 그 진원지를 감지하고 고개를 돌렸다.

그리고 보았다.

"이게…… 무슨?"

영주성 바로 옆에 자리하고 있던 평온의 정원이 일그러진다.

그래. 문자 그대로 일그러지고 있었다.

고고고---!

차원 자체가 일그러지며 평온의 정원이 사라져 간다.

그리고 그 직후.

번쩍!

일그러지던 공간이 빛의 기둥으로 변해 하늘을 찔렀다.

[리소스 확인 중. 업데이트가 진행 중입니다.]

[다운로드 진행 중…… 88%…… 89%…… 90%……]

[발칸 오크 요새(고급~영웅)]

[던전이 생성 중입니다.]

"이게 무슨…… 던전?"

그 느닷없는 상황에 입이 절로 벌어진다. 이게 무슨 개소리란 말인가?

이건.

이건 마치.

"게임에서나 나올 법한……."

기막혀 하는 와중에도 빛의 기둥은 점점 그 영역을 넓혀 간다.

"피해! 건물이 무너진다!"

"악! 땅이 밀려나고 있어!"

영지민들이 비명을 지르며 사방으로 흩어지는 모습이 보인다.

그리고 그 뒤에 있는 빛의 기둥에서.

"오~~~로로로로로로---!"

"옥! 하! 발칸이여!"

거대한 신장에 녹색 피부를 가진 괴물들이 모습을 드러냈다.

콰득!

제법 그럴싸하게 만든 쇠도끼가 영지민의 머리통을 내려찍자 비명도 지르지 못한 시체가 바닥을 내뒹군다.

"……오크? 진짜 오크라고?"

어이가 없어 눈만 껌뻑거린다.

아르데니아 대륙은 물론 판타지스러운 곳이다. 용맥이 있고 마법도, 오러도, 마수도 있는 세상.

하지만 오크라니?

쿵!

테라스에서 뛰어내린다. 저 미친 녹색 괴물들이 내 영지민들을 쳐 죽이는 걸 지켜볼 수는 없었기 때문이다.

그러나 달려가면서도 머릿속에는 혼란이 가득하다.

"게임도 아니고 뭔 오크야?! 지금까지 아무런 전조도 없었는데…… 아니, 이게 무슨 게임이야? 로그아웃이라도 해야 해?"

기막혀 하는 그 순간.

세상이 멈춘다.

"어?"

그리고 그대로 내 의식이 하늘로.

올.

라.

가.

고.

"……!"

온몸을 파르르 떨며 상체를 일으킨다. 다행히 비명을 지르지는 않았지만 워낙 격렬한 기상이었기에 근처에 있던 불침번이 반응한다.

"악몽이라도 꿨어, 한 병장?"

"……."

멍청한 표정으로 상대를 바라본다.

20대 초반의 젊은 나이.

낯익은 얼굴이었지만 이름이 기억나지 않는다. 당연하다. 무려 20년 만에 보는 얼굴이었으니까.

"표정 왜 그래? 기껏 전역일인데. 아, 한 병장은 34지구 출신이었지? 그럼 전역이 딱히 좋을 것도 없겠네."

"지금, 지금이 몇 년이지?"

"잠 덜 깼어?"

"몇 년."

내 목소리가 낮게 깔리자 불침번이 슬쩍 눈살을 찌푸리면서도 답한다.

"2089년이지 몇 년이야? 이등병 되는 꿈이라도 꿨어? 막 꿈속에서 2087년이래?"

태연한 녀석의 목소리에 숨이 가빠 오는 것을 느꼈다.

"……미친."

늘 생각해 왔다.

어느 날 느닷없이 이계로 끌려갔던 것처럼, 어느 날 느닷없이 현실로 돌아오게 될지도 모른다고.

하지만…… 아무리 그래도 아르데니아 대륙에서 20년을 살았는데 단 하루도 지나지 않았다니.

아니, 단 하루도 지나지 않은 정도가 아니라 어쩌면 1분 1초도 흐르지 않았을지도 모른다.

"내가 뭘 어떻게 했었지? 로그아웃이라고 했나?"

"한 병장?"

어리둥절한 표정의 불침번을 무시하고 중얼거린다.

"그럼 반대는…… 로그인?"

말을 입에 담는 순간.

세상이 변한다.

"으아악! 도망쳐!"

"꺄악! 살려 주세요!"

쏟아져 나온 오크들이 도끼로 영지민들을 찍고 있다. 피가 솟구치고 살점이 떨어진다.

나는 그곳을 향해 달리며 신음했다.

"이게 무슨 개소리야……."

보석이 박힌 바스타드 소드를 뽑아 들며 소리친다.

"이게 무슨 개소리냐고!"

내달린다. 평온의 정원은 영주성 안쪽에 있었기에 거리는 얼마 되지도 않는다.

“오~ 로로로로!”

2미터에 가까운 신장. 떡 벌어지다 못해 1.3미터는 되어 보이는 어깨. 온몸에 꽉꽉 들어찬 근육까지.

생명체라기보단 전투 병기에 가까운 외양을 가진 녹색의 괴물이 10킬로그램도 넘어 보이는 도끼를 휘두른다.

‘못 막는다.’

나 역시 단련된 육신의 소유자지만, 저런 괴물과 힘 싸움을 하는 건 불가능한 일이다. 저걸 정면으로 막았다가는 방어가 무색하게 튕겨나 바닥을 구르겠지.

때문에 녀석을 본다.

녀석의 시선이 향하는 방향을, 불끈거리는 근육의, 돌아가고 있는 관절과 내디딘 오른발로 치우치는 무게중심을 본다.

그리고 그대로.

걷는다.

후웅!

쇠도끼가 머리칼을 끊어 내며 지나가자 강렬한 풍압이 피부를 뭉개는 게 느껴진다. 깔끔하게 빗나간 공격에 오크 녀석이 크게 눈을 뜨는 순간.

푸욱!

내 검이 녀석의 목을 꿰뚫는다.

“크륵! 그르륵! 컥! 커억!”

놀랍게도 오크는 쓰러져 뒹구는 대신 사방으로 도끼를 휘두르며 버둥거렸다.

질릴 정도의 생명력이었지만 아무리 그래도 목을 꿰뚫린 치명상을 이겨 낼 정도는 아니다.

쿵!

쓰러지는 시체. 깔끔한 1승.

그러나 승리를 기뻐할 수가 없다.

"가죽이……."

야들야들한 인간의 피부 따위와는 비교할 수 없다. 어찌나 가죽이 튼튼한지 한순간 검을 놓칠 뻔 했을 정도다.

'이 정도면 엔간한 화살은 박히지도 않는다.'

쇠뇌로 쏘아 내는 퀘렐이 아닌 이상 그냥 맞으며 싸우는 게 가능할 정도.

그리고 그런 괴물들이.

"오~~~ 로로로로!"

"오~ 로로로!"

"하하하! 인간! 인간들이다!"

"오로로! 달려라, 달려~! 오~ 로로로로!"

빛의 기둥에서 마구 쏟아져 나오고 있다.

나는 즉시 숨을 들이켜고, 고함을 내질렀다.

"모든 기사! 병사들은 영지민을 이끌고 즉시 후퇴하라! 빛의 기둥에서 최대한 멀어져 재집결한다! 집결지는 훈련소! 다시 전달한다! 집결지는 훈련소!"

쩌렁쩌렁하게 고함을 지르자 싸워야 할지 도망쳐야 할지 결정하지 못하고 우왕좌왕하던 병사들이 영지민들을 이끌고 빠져나가기 시작한다. 영지민이 3000명밖에 되지 않는 작은 영지지만 그럼에도 병사들의 훈련 상태는 아주 양호하다.

산적 우두머리->용병대장->영주의 테크트리를 탄 나를 따라 산적->용병->병사로 전직을 거쳤던 영지민이 전체 영지민의 절반에 달한다. 그들 중에서도 병사를 할 정도면 그야말로 정예 중의 정예라 해도 부족함이 없다.

거기에 우리 영지에 단둘밖에 없는 기사가 지휘를 시작하자 극도의 혼란 상태에서도 어떻게든 무리를 이루어 후퇴를 시작할 수 있었다.

"하압!"

일부러 더 우렁차게 소리치며 덤벼드는 오크의 목을 벤다. 붉은 피를 뿜으며 쓰러지는 오크 녀석들의 머리 위에는 이런 글자가 쓰여 있다.

발칸 오크 전사(고급)

'미친. 진짜 게임이라고?'

로그아웃이라고 말하는 것으로 지구로 돌아갈 수 있다

는 사실에 떠올렸던, 그야말로 말도 안 되는 가설이 떠오른다.

'아니. 아니다'

그러나 이내 떨쳐 낸다. 나 역시 한국 남자다. 가상 현실 게임을 안 해 본 것도 아니고 현실과 가상을 헷갈릴 이유가 없다.

하물며 20년이라는 이 생생한 세월.

고작 게임이나 꿈같은 것으로 구현할 수가 없는 경험이다. 지금 이 순간에도 명료하게 상황을 파악하고 있는 내 정신이 그것을 증명한다.

'즉 이 상황은…… 그 이상의 것이다.'

나는 마음속에 대전제를 세웠다.

1. 아르데니아는 실존하는 세계다.

2. 그러나 그럼에도, 아르데니아에 게임 시스템이 적용되었다.

거기까지 생각하자 문득 떠오르는 게 있었다.

'이건 마치…… 교과서에서나 보던 [스테이지] 같군.'

약 70년 전. 그러니까 2019년.

평화롭던 지구는 미증유의 위기와 마주했다. 저 먼 우주에서 내려와 지구에 잠들어 있던 신화적인 존재, [종말

프로젝트]가 가동한 것이다.

60억이 넘던 인류는 [호러] 콘셉트의 게임에 끌려가게 되었다.

한 살도 안 된 영아부터 늙어 죽기 직전의 노인까지 예외 없이 [플레이어]가 되어 강제적으로 호러 게임을 진행해야만 했다.

스스로의 살점을 먹지 않으면 버틸 수 없는 끔찍한 허기와 싸우며 괴기스러운 외양의 괴물을 죽이고 조금만 방심해도 육체의 일부를 잃어버릴 정도로 살벌한 함정을 피하며 스테이지를 클리어해야 했다.

당연한 말이지만 평화에 익숙하던 인류는 이 끔찍한 역경을 이겨 낼 힘이 없었다. 60억이 넘던 인류가 5억 이하로 줄어들었을 정도로 끔찍한 시련.

우주적인 시각으로 봤을 때 우리 34지구는 [당연히] 멸망해야 할 상황이었다.

그래, [그]가 없었다면 그랬을 것이다.

비범한 혈통을 타고나 스테이지에서 그 모든 가능성을 꽃피운 초월적인 존재.

위대하고 위대한 [게임 마스터]가 없었다면.

'잠깐. 잠깐만…… 이거 스테이지랑은 좀 다른데? 호러 콘셉트도 아니고…… 무엇보다 나 말고 다른 플레이어가 없는 것 같아.'

콰득!

복잡한 머릿속에도 몸은 바쁘게 움직인다.

퍽! 콰득! 촤악!

목을 쳐 버린다. 지나치며 아킬레스건을 끊어 버리고 심장을 꿰뚫는다.

나를 바라보는 시선, 치우치는 무게중심, 근육의 움직임. 발바닥의 각도가 녀석들이 어떻게 공격을 가할지 알려 준다.

오크들의 근력과 생명력은 실로 엄청나지만 녀석들의 기술은 원시적이다. 검과 도끼, 심지어 창까지 쓰고 있지만, 변초도 속임수도 없었기에 호흡을 흐트러트리고 자세를 무너트리는 것만으로도 쉽사리 요리할 수 있었다.

그러나.

"오~~ 로로로로로!"

"강하다! 이 인간 전사 강해!"

"저놈 내가 죽인다!"

"아냐! 내가 죽인다!"

빛의 기둥에서 오크가 계속 튀어나온다. 하나를 죽이는 동안 열이, 열을 죽이는 동안 백이 나온다.

분명 오크들을 쳐 죽이고 있음에도 끝도 없이 뒤로 밀려난다. 고작 10분 좀 더 싸웠을 뿐인데 영주성이 녹색의 괴물들로 가득 차 버렸다.

"아니 대체 몇 마리나 나오는 거야?!"

언뜻 봐도 오크들의 숫자가 일천이 넘는다. 내 영지에 사는 영지민이 고작 3000명인데 혼자서 병사 열은 상대할 법한 오크가 1000마리나 튀어나오다니.

심지어 빛의 기둥에서는 아직도 오크들이 걸어 나오고 있다. 대체 얼마나 더 튀어나올지 짐작조차 가지 않는다.

'빠져야겠다.'

다행히 내가 어그로를 끄는 동안 병사와 가솔들, 그리고 영지민들 모두가 도망칠 수 있었다. 오크들이 기민하게 포위진을 짜거나 득달같이 영지민들을 추격했다면 불가능한 일이었겠지만 저 짐승 같은 것들은 체계적으로 움직이는 대신 소란이 일어나는 내 쪽으로만 꾸역꾸역 모여들었다.

물론 그렇다고 영지민들의 피해가 가볍다는 말은 아니다.

"제길. 내 영지가…… 영지민들이……."

속이 부글부글 끓었지만 재건도 복수도 일단 살아야 할 수 있는 일. 나는 호흡을 가다듬고 주변을 살폈다.

어느새 빛의 기둥에서 튀어나온 숫자가 2000마리를 넘어섰다. 자칫 포위라도 당했다간 목숨이 위험한 상황.

그런데 그렇게 생각하는 순간.

섬뜩!

[불가해한 전투 예지]가 나에게 가해질 공격을 경고했다.

그러나 예지한다고 다 피할 수 있는 게 아니다. 공격의 범위가 매우 넓었고, 무엇보다 너무 빨랐다.

퍽!

무지막지한 충격과 함께 한순간 시야가 새까맣게 물든다.

쿠당탕!

정신을 차렸을 땐 이미 바닥을 구르고 있었다.

"크…… 억?"

신음하며 고개를 숙이자 오른쪽 어깨부터 명치까지 가른 채 박혀 있는 양날 도끼가 보인다.

당연하게도 갈비뼈가 다 박살 나고 폐도 찢어져 목구멍으로 피가 올라온다.

"미…… 친. 이게 무슨."

주변을 보아하니 날아온 도끼를 몸통에 박은 채 5미터 이상 날아 바닥을 구른 모양이다. 실로 믿기 힘든 수준의 괴력이었다.

"크륵! 인간 죽었다!"

"아쉽다! 내가 죽여야 하는데!"

"아, 대장님 오셨다!"

웅성거리는 오크들.

그리고 빛의 기둥을 헤치고 도끼를 집어던진 것으로 보

이는 상대가 모습을 보인다.

쿵!

내딛는 걸음이 묵직하다. 덩치가 어찌나 큰지 아인종이 아니라 마수화한 곰처럼 보이는 2.5미터의 오크.

발칸 오크 투사(희귀)

함롬

"제길 무슨 도끼가…… 쿨럭. 이렇게 날아…… 쿨럭!"

연신 피를 토한다. 부상은 심각하다. 굳이 추가적인 공격이 아니어도 목숨을 부지하기 힘들 정도.

당장 도망치지 않으면 죽을 상황에 이만한 부상을 입었으니, 하늘이 무너져도 솟아날 구멍이 없어야 할 상황.

"쿨럭! 로, 로, 로……."

그러나 그럼에도 나는 솟아날 구멍이 있다.

"로그아웃!"

팟!

시점이 순식간에 하늘로 솟구친다. 바둑판 모양의 대륙이 잠시 보였다가 모든 것이 어둠에 잠기고.

푸쉬잇!

"어?"

얼굴에 피를 뒤집어쓴 채 멍한 표정을 짓고 있는 불침

번의 모습이 보인다. 급작스러운 상황 변화에 현실을 받아들이지 못한 표정.

그는 멍하게 나를 바라보다가 손을 들어 자신의 얼굴에 묻은 피를 닦았다. 혼란에 빠진 동공이 지진을 일으키는 모습이 보인다.

“아니…… 이게 뭐야? 왜 갑자기 피가…… 한 병장? 아, 아니, 이럴 게 아니라 기상! 기상! 전부 일어나! 한 병장 죽는다! 당직 사관님 불러!”

터져 나오는 비명.

쏟아지는 피.

그리고 하나둘 일어나기 시작하는 부대원들.

나는 그 모든 상황을 보며.

“미친…… 이게 되네…….”

그대로 정신을 잃었다.

* * *

깨어났을 때 마주한 건 짧게 머리를 친 30대 초반의 서양인이다.

“정신 차렸어? 자. 이거 몇 개냐?”

“세 개요.”

“내 손가락 계속 봐 봐.”

그렇게 말하고 그는 손을 몇 번 움직이더니 차트에 뭔가를 적고 짜증을 부렸다.

"아닌 밤중에 홍두깨도 아니고 대체 뭔 일이야? 내가 월급 400만 원 겨우 받으면서 이런 야심한 시간에 외과 수술까지 해야겠냐?"

퉁명스러운 목소리를 들으며 상체를 일으킨다. 간단한 동작에도 식은땀이 날 정도의 고통이 밀려왔지만, 내가 입었던 부상을 떠올려 보면 이 정도는 아무것도 아니다.

'와. 지구가 좋긴 좋네.'

화살 하나 잘못 맞아도 평생 불구로 살아야 하고 재수가 좋아도 몇 달은 죽어라 고생해야 하는 중세 랜드에서 20년을 살아 온 내 입장에서 이건 기적이나 다름없는 의료 서비스다. 우리 위대하신 의무관님의 치료 능력이 대륙에도 2명밖에 없다는 성녀의 쌍 싸다귀를 때리고도 남을 정도라는 말이기도 했다.

"감사합니다, 토마스 중위님. 솔직히 죽나 싶었는데."

"죽기는 무슨. 즉사도 아니고 병영 한가운데에서 어떻게 죽어? 아, 그나저나 대체 뭔 일이냐? 대형 도끼 같은 거에 얻어맞은 흔적이 있던데…… 내일 전역이라고 전역빵이라도 맞았어?"

"어떤 미친놈이 전역빵을 이렇게 해요……."

헛웃음 지으며 고개를 흔들었다. 하지만 이런 이야기가

나올 정도라니 정말 어지간하다는 생각이 들었다.

“하긴 절 도끼로 찍고 싶어 하는 녀석이 많긴 했지요.”

피식 웃는 나의 모습에 토마스 중위가 깜짝 놀란다.

“뭐야, 지금 농담한 거야? 그러고 보니 나한테 감사하다고 했지? 웬일이야, 미친개? 전역할 때쯤 되니 사람이 된 건가?”

놀라워하는 토마스 중위의 말에 얼굴이 달아오른다.

‘지금 돌아보니…… 저런 말을 들어도 싸군.’

어릴 적의 나는 항상 분노에 차 있었다. 그리고 그 분노의 근원에는 나 스스로를 특별하다 여기는 오만함이 있었다. 이상은 하늘 같은데 현실은 시궁창이니 어찌 분노하지 않겠는가?

나는.

내가 나고 자란 세상과 맞지 않았다.

‘나이 먹을 만큼 먹고도 질풍노도의 시기였으니.’

차라리 삼국시대에 태어나길 바랐다. 차라리 독재정권의 암울한 세상에서 태어나길 바랐다. 전쟁이 끊이지 않는 세상, 치안이 무너져 만인에 대한 투쟁을 해야만 하는 세상을 원했다.

그런 삶이 좋아서가 아니라, 나라고 하는 존재가 의미 있는 그런 세상을 원했던 것이다.

그러나 지구는 너무나도 평화롭고 안정된 세계.

그리고 그렇게 평화로운 지구에서 설 곳을 찾지 못했던 난 긴 시간을 방황하며 여러 사람들에게 피해를 끼쳤다.

그리고 20년이 지난 지금.

날것 그대로의 중세 랜드에서 온갖 악의(惡意)와 싸워온 난 그것이 얼마나 어리고 한심한 생각인지 알게 되었다.

"제가……."

때문에 말한다.

"너무 어렸죠."

"……."

난데없는 침묵에 고개를 돌리자 입을 쩍 벌리고 있는 토마스 중위의 모습이 보인다.

"왜 그러십니까?"

그러자 토마스 중위가 말했다.

"전역빵 맞구나? 그렇지?"

"……."

"……."

"세상에. 대체 얼마나 잔인하게 맞았기에 이 지경이야? 이 정도면 거의 트라우마가 생길 정도인데 해도 해도 너무하네."

호들갑 떠는 그의 모습에 어색하게 웃으며 내 몸 상태를 점검한다.

박살 났던 갈비뼈는 멀쩡히 복구되어 있고, 찢어졌던 피부와 내장도 원상태로 돌아가 있다. 새로 재생된 피부가 그을린 주변 피부와 다르다는 게 좀 거슬리기는 하지만, 영양제까지 맞은 덕에 움직이는 데에는 아무런 문제가 없다.

물론 움직일 때마다 미친 듯 고통이 밀려오지만.

'지금뿐이야.'

군 복무 중이 아니고서야 토마스 중위 정도 되는 고위 치유술사(겸 의사)에게 케어받을 수 있는 호사는 쉽게 얻을 수 있는 게 아니다. 사회에서는 VIP병실에서나 가능하겠지.

즉, 내 입장에서는 이 기회를 적극 이용해야만 한다.

"중위님, 제가 피곤해서."

"아, 그러고 보니 새벽 4시네. 그래, 이왕 온 거 여기서 자고 가. 나도 당직실에서 잘 테니까. 으으. 요새 잠도 부족한데 이게 무슨. 내일은 오침 신청을 해야지……."

투덜거리며 의무실을 나가는 토마스 중위의 모습을 보며 오른손으로 입을 가린다.

"로그인."

아주 작게 속삭이자.

어느새 나는 아르데니아에 있었다.

"오~ 로로로로…… 오? 뭐, 뭐야? 인간 놈이 일어났다!"

“상처가 없다? 거의 절반 정도 찢어져 있었는데?”

“뭐지? 다시 죽여야 하나?”

어리둥절해하는 오크들의 말을 무시하고 몸을 일으킨다. 지구로 돌아가 몸을 회복시켰기 때문인지 몸에 박혀 있던 양날 도끼는 그저 내 몸 위에 얹혀 있을 뿐이다.

쿵!

양날 도끼가 바닥에 떨어진다. 수천의 오크들이 멍하니 그 모습을 바라보고 있는 상황.

당연한 말이지만.

망설일 이유가 없다.

“도망친다!”

“잡아!”

뒤에서 고함 소리가 들려왔지만 고개도 돌리지 않고 무작정 뛰었다. 영지를 얻은 지 그리 오래되지 않았지만 성의 구조와 지형은 완전히 꿰고 있는 상황.

나는 삽시간에 영지성을 벗어난 후 대로를 따라 일직선으로 달릴 수 있었다.

“거기 서라!”

“잡아! 죽여!”

“오~ 로로로!”

“자, 잠깐 인간 놈 너무 빨……!”

오크들이 마구 뒤따라오다 자기들끼리 충돌하고 얽혀

넘어지고 난리가 난다. 물론 개중 몇은 아무런 문제없이 달려왔지만.

'좋아, 멀어진다.'

다행히 오크들은 그 무식한 괴력과 질긴 생명력과 다르게 형편없는 주력(走力)을 가지고 있었다.

100미터 달리는 데 족히 20초는 걸릴 정도!

그것도 전력 질주가 그러할 정도니 작정하고 뛰니 따돌리는 건 일도 아니다. 그대로 약 1킬로미터 정도 달리자 악쓰는 소리들이 점점 멀어지기 시작한다.

단 하나를 빼고는 말이다.

쿵! 쿵! 쿵쿵쿵!

"아, 젠장!"

묵직한 발소리에 고개를 돌려보자 2.5미터의 거대한 오크가 무지막지한 속도로 달려오는 모습이 보인다.

발칸 오크 투사(희귀)

함롬

도끼를 던져 나를 삼도천 바로 앞까지 배달해 주었던 바로 그놈이다.

"후!"

호흡을 고르고 달린다. 건물 사이의 좁은 틈을 지나가

기도 하고 펄쩍 뛰어 담벼락을 넘어가기도 했다.

그리고 나를 뒤따르는 오크 투사는.

쾅! 쾅! 쾅!

"와."

자신을 가로막는 모든 것을 때려 부수며 돌진해 온다!

"헉…… 헉…… 로그아웃!"

전력으로 질주하다 체력이 떨어질 때쯤 지구로 돌아온다. 가쁜 호흡을 고르고 수분을 섭취한 후 잠시간 쉬며 후들거리는 팔다리를 풀었다.

"로그인."

그리고 다시 달린다.

"크아아아! 서라! 날다람쥐 같은 놈!"

"너나 포기해라! 지치지도 않냐?"

지구와 아르데니아를 오가며 체력을 회복시키고 있음에도 오크 투사와의 거리는 점점 가까워져만 간다.

그나마 녀석이 던졌던 도끼를 회수하는 과정에서 거리를 벌리고 시작했으니 여기까지 도망칠 수 있었지, 아니었다면 한참 전에 붙잡혔으리라.

쾅! 콰직! 쿵!

이제는 숲으로 들어왔지만 빽빽한 숲의 나무들마저 모조리 박살 내며 오크 투사가 접근해 온다.

어느새 나와 녀석의 간격은 5미터 안쪽. 나는 더 이상의 도주를 포기하고 몸을 돌렸다.

"로그아웃."

그리고 지구로 돌아온다.

"허억…… 허억…… 후우…… 후……."

호흡을 고른다. 전투에 앞서 최대한 컨디션을 회복해야 했기에 한참을 더 쉬고 의무실 한편에 비치되어 있던 영양제도 먹었다.

딸깍!

그때 의무실 문이 열리며 토마스 중위가 들어온다.

"야. 너 방에서 운동하냐? 심박 그래프가 왜 이래?"

"운동이라뇨. 가만히 앉아만 있었는데. 다만 어째서인지 숨이 계속 차긴 합니다."

"그게 무슨 말이야? 너 설마 저주 같은 거 걸렸어?"

우웅!

토마스 중위가 오른손을 들어 올리자 치유의 파동이 뿜어져 온몸을 훑고 지나간다. 전력 질주로 3킬로미터 가깝게 뛰어 탈력 상태에 빠져 있던 몸이 회복된다.

"이질적인 마력은 느껴지지 않는데. 이게 무슨 상황이지?"

"저도 잘…… 쿨럭!"

기침하는 척하며 손으로 입을 가린다.

그리고 속삭인다.

"로그인."
팟!
"너! 잡았다!"
오크 투사가 괴성을 지르며 나를 노려본다. 녀석 또한 그 큰 덩치로 먼 거리를 달려왔기에 호흡이 거칠고 한껏 지쳐 있는 상황.
나는 검을 들었다.
오크 투사도 도끼를 들었다.
웅!
오크 투사의 도끼에 무형의 기운이 일렁이는 모습이 보인다. 도끼의 내구를 강화시키고 절삭력과 파괴력을 증가시키는 힘.
'내공. 저깟 놈이 일류 무사란 말인가? 소드 익스퍼트라고?'
기가 차 헛웃음이 나온다. 내가 평생 가도 닿지 못할 영역에 저 미련해 보이는 괴물이 도달해 있다.
"……씨발."
절로 욕이 나온다.
엿 같은 마나.
엿 같은 기가스.

"[초인적인 운동신경], [초인적인 정신력], [불가해한 전투 예지], [불가해한 신체 제어]…… 와. 무능력자가 능력자를 줘팼다기에 뭔 개소리인가 했는데 그럴 만하구만. 아~ 그런데 이걸 어쩌나."

나는 시청에서 내 재능을 판별했던 선별사의 말을 떠올렸다.

"[폐급 마나 적성]."

쾅!

떨어져 내리는 도끼를 피해 파고든다. 마음 같아서는 빗겨 치고 들어가고 싶었지만 내공, 거기에 아름드리나무도 어깨치기 한 번으로 부러트릴 괴력까지 실린 도끼와 충돌했다가는 그대로 끝장이겠지. 무조건 완벽하게 회피해야만 한다.

힘의 흐름을 완벽히 읽어 낸다 해도 이 정도 힘 차이면 공격을 빗겨 내려다 내 모가지가 빗겨 나가기 마련이다.

'아니 그런데 이놈 방어가?'

순간 환하게 열린 상체에 의문이 들었지만 드러난 빈틈을 안 칠 수도 없는 노릇이기에 그대로 검을 휘둘러 오크 투사의 목을 쳤다.

깡!

"깡?"

빈틈을 노려 쳤다가 느닷없는 반발력에 놀란다. 그걸 빈틈으로 여겼는지 오크 투사가 도끼를 질풍처럼 휘둘렀지만.

팟!

나는 녀석의 허벅지를 차 그 공격을 피했다.

그리고 자세를 바로잡는다.

"경기공(硬氣功)! 오크 놈이 별걸 다 하네!"

그러나 녀석이 경기공을 익혔다는 걸 안 이상 공략은 어렵지 않다. 경기공은 내공 사용자들이 흔히 선택하는 수련법. 나에게 시비를 걸었던 조폭 녀석들도 경기공의 수련자들이었다.

그리고 그들이 다 어떻게 되었던가?

재생 마법으로 이빨을 몽땅 복구해야만 했다,

"너! 이! 미꾸라지 같은 놈!"

괴성과 함께 오크 투사가 달려든다. 나름 비장의 유인책이라고 생각했을 텐데 내가 너무 쉽게 빠져나가자 화가 난 듯 양날 도끼를 횡으로 휘두른다.

괴력을 담은 도끼가 땅에서 45센티미터 정도의 높이로 휘둘러진다. 자꾸 내가 공격을 피하자 피할 수 없는 공격을 날린 것!

'낮다.'

자세를 아무리 낮춰도 맞을 수밖에 없는 높이. 넓고 길게 휘둘러 뒤로 물러나도, 옆으로 굴러도 회피할 수 없는 강공격이다. 오크 투사로서도 전력을 다한, 주변에 광풍이 몰아칠 정도로 매서운 일격!

그러나 녀석이 팔을 당기는 순간부터 공격 방식을 예상하고 있던 난 이미 땅을 박차고 뛰어오른 상태였다.

"합!"

기합을 외치며 온몸의 무게를 담은 검을 휘둘렀다. 머리를 내려치는 내 검을 오크 투사가 똑바로 바라본다.

붉게 충혈된 녀석의 눈에는 조금의 두려움도 없다.

'경기공이다!'

나는 이대로 검을 내리쳐 머리를 때려 봐야 이마에서 피 좀 나고 말 것이라는 사실을 알았다. 그리고 그렇게 허공에서 공세가 끊기면 오크의 후속 공격에 살해당하고 말겠지.

팍!

때문에 나는 내 아래로 휘둘러지고 있던 팔을 발로 차 속도를 죽였다. 솟구쳐 오르던 몸이 뚝 떨어지며, 내려치던 검이 놈의 머리 대신 가슴팍을 후려쳤다.

콰드득!

전력을 다한 검격에 갈비뼈가 우르르 부러지는 감촉이 느껴진다. 아쉽게도 오크 투사 녀석이 상체를 뒤로 당겨 심장을 베어 내지는 못했다.

"크, 아아아아!"

잘린 가슴팍에서 뿜어지는 피도 아랑곳하지 않고 오크 투사가 도끼를 비스듬히 올려 베었다.

이미 전력으로 횡 베기를 하던 자세를 생각해 보면 말이 안 되는 연결 동작이지만 오크 투사는 막대한 괴력과 내공의 힘으로 그것을 해냈다. 그야말로 필사의 한 수!

하지만 예상하고 있었다.

팟!

집중한다. 1초를 열 몇 개로 쪼갠 순간의 세계에서 양손으로 잡고 있던 검을 왼손으로 옮긴다.

그리고 오른손을 뻗어 베어 오는 도끼를 막았다.

콰득! 푹!

쿠당탕!

그대로 허공을 몇 미터나 날아 바닥을 뒹군다.

"헉헉…… 골병들겠네."

정신이 혼미해지는 고통에 신음하며 몸 상태를 확인한다. 다른 곳은 괜찮지만 오른팔은 문자 그대로 박살이 나 있다. 검지와 중지 사이부터 세로로 쪼개지고 힘을 받아낸 팔꿈치와 어깨도 부서져 버린 상황.

그리고 오크 투사는.

"커억…… 그르륵……."

심장에 검이 박힌 채로 나를 노려보다 그대로 쓰러져 절명(絕命)한다.

"크, 크흐흐. 내 승리다, 멍청아."

평소였다면 이렇게까지 하지 않았을 것이다. 어떻게든 빈틈을 노려 도망가야지 왜 싸운단 말인가? 적을 100명 죽여도 칼 한 대 잘못 맞으면 패배한 것이나 다름없는 게 이 중세 랜드인데.

겨우 어깨에 화살을 맞았다고 몇 달을 시름시름하다 죽는 사람들의 모습을 숱하게 봐 왔기에 더욱 그러하다. 괜히 내가 이 세계에서 방어형의 검식을 사용해 왔겠는가?

하지만 이제는 다르다.

"로그아웃!"

팟!

촤아악!

쪼개진 팔에서 피가 뿜어진다.

토마스 중위가 멍한 표정으로 그 모습을 보고 있다.

"으, 아아아아! 이, 이게 뭐야?! 갑자기 왜 팔이 쪼개져?! 뭐야 대체?!"

"하하. 저도 잘 모……."

오리발을 내밀며.

나는 정신을 잃었다.

* * *

"충성! 병장 한재연은 2089년 8월 3일부로 전역을 명 받았습니다. 이에 신고합니다. 충성!"

"그래. 우리 미친개 드디어 전역하는구나? 앞으로는 좀 심심하겠다. 그래도 네가 있어서 내 군 생활이 스펙타클 했는데."

제2군 우주병 훈련대장 신동규 중장(진)이 담배를 뻐끔뻐끔 피며 웃는다. 나는 꾸벅 고개를 숙였다.

"지금까지 감사했습니다."

내 말에 신동규 중장이 멈칫하더니 이내 고개를 끄덕인다.

"……그래. 막판에 좀 사람 같아졌다는 말은 들었다. 뭐 얼마나 갈지는 모르지만 보기에 좋네. 날 그렇게 고생시켰으니 새사람이라도 되어야 나도 이 팍팍한 군 생활에 보람도 생기고 그러지. 아, 그나저나 의무실에서 너 무슨 저주 같은 거 걸렸다고 하던데 그건 뭐냐?"

신동규 중장의 말에 준비된 답을 한다.

"저주인지 뭔지 잘 모르겠지만…… 이제 괜찮아졌습니다. 걱정하지 않으셔도 됩니다."

"쯧. 괜찮아 보여도 바로 병원 가서 검사해. 그 돌팔이는 치유술 전공이라 못 찾는 모양지만 수도의 종합병원이라면 무조건 감지할 수 있을 테니까."

그렇게 말한 신동규 중장은 서랍을 열더니 미리 만들어져 있던 전역증을 꺼내 들었다.

그리고 휙 하고 그걸 공중으로 던졌다.

"야~ 옹!"

책상 아래 있었다고 예상되는 고양이 한 마리가 펄쩍 뛰어오르더니 전역증을 물고 내 앞에 내려섰다. 나를 가만히 올려다보는 갈색 고양이의 눈이 보석처럼 반짝인다.

"……대장님?"

"이런 자리에 있다 보면 이런저런 선물들이 오기 마련이지. 난 별로 필요 없으니 짬 처리하는 거다."

"하지만 이거 최신형인데…… 거의 400만 원은 하지 않습니까?"

2080년. 그러니까 약 10년 전 즈음 혁신적인 핵심 기술 몇 가지가 민간에 해금되었다. 텔레포트 터미널을 가지고 있다면 텔레포트를 이용한 [배달]을 언제 어디에서건 받을 수 있는 [간이 텔레포트], 원거리에서 지속적으로 에너지를 보급받을 수 있는 [에너지 네트워크], 인프라 위에 자리하고 있다면 부담 없이 마법을 구매할 수 있는 [매직 스토어]까지.

처음에는 집에 가구 형태로 들어가 활용되는 게 전부였던 기술이지만 시간이 지나 기술이 정착되자 사람들은 생각하게 되었다.

'이 기능을 개인별로 쓸 수는 없을까?'

사람들은 심지어 스마트폰에 저 기능들을 넣고 싶어 했지만 불가능한 일이었다. 아무리 기술이 발전해도 8킬로그램 이상의 중량과 데스크탑에 가까운 부피가 필요했기 때문이다. 최초 사람들은 가방의 형태로 그것을 들거나 메고 다녔지만 걸리적거리고 무거워 널리 퍼지지는 못했다.

그러나 사람들은 결국 방법을 찾아냈다.

스마트폰이 들고 다니기에 무겁고 크기가 크다면, 그 스마트폰이 알아서 주인을 따라다니면 되는 것 아닌가?

그 결과가 바로 이것. 스마트 펫(Pet)과의 결합.

이 녀석은 영락없는 고양이로 보이지만 사실 생물이 아니다. 레어메탈과 인챈트, 그리고 첨단 기술이 적용된 부품들로 작동하는 인공 생명체인 것이다.

'요새 유행이라고 듣긴 했지만 설마 선물로 받게 될 줄이야.'

예상치 못한 상황에 당황하고 있는데 신동규 중장이 손

가락을 딱 하고 튕긴다.

윙!

책장에 놓여 있던 스마트폰이 하늘을 날아 신동규 중장의 손에 잡힌다. 신동규 중장이 스마트폰을 조작한다.

그리고.

"야옹! 야옹! 야옹! 야옹!"

"저, 저기 대장님. 이 녀석이 우는데……."

"아, 촌놈의 새끼 눈치가 없네. 벨 소리잖아, 벨 소리. 내가 전화 건 거니까 코를 눌러 받아. 나중에 기기명을 등록하면 음성 명령으로도 받을 수도 있다."

그의 말대로 고양이의 코를 누른다.

그러자 고양이가 나를 보고 말한다. 방금 야옹거리던 모습이 거짓말이라는 듯 또렷한 여성의 목소리다.

"군필 마도사 신동규 님의 전화입니다. 뚜! 자, 잘 들리지? 내 번호니까 등록해 놔라."

신동규 중장의 목소리로 말한 고양이는 가볍게 땅을 박차 뛰어오르더니 딱 내 얼굴 높이에서 누가 붙잡은 것처럼 정지한다.

1클래스 기본 마법, 고정(Fixing).

마치 바닥에 털퍼덕 주저앉기라도 한 것처럼 둥그렇게 말린 녀석의 배가 디스플레이가 되어 주소록을 띄운다.

'신기하네.'

여기부터는 기존 스마트폰과 큰 차이가 없었기에 화면을 조작해 번호를 저장하자 그 모습을 보고 있던 신동규 중장이 말한다.

"네 군 생활 3년 동안도 세상은 많이 변했어. 넌 정말…… 날 많이 피곤하게 했던 또라이지만 그래서 더 걱정이다."

신동규 중장은 나를 보며 쯧 하고 혀를 찼다. 항상 날 갈구고 심지어 폭행까지 했던 그의 눈에는 염려가 가득하다.

"사회는 군대처럼 봐주고 기회를 주지 않아. 군 생활 좆같다, 좆같다 하지만 못 가진 사람들한테는 사회야말로 좆같은 곳이다. 그나마 정신 좀 차린 것 같아서 다행이긴 하지만…… 도저히 답이 없는 상황이 되면 나한테 연락해. 일자리라도 잡아 줄 테니까."

"……."

나는 담배를 뻐끔거리는 신동규 중장을 바라보았다.

옛날, 그러니까 체감적으로 치면 20년 전, 나는 그를 답 없는 꼰대라고 혐오했다. 그러나 지금 내가 본 그의 모습은 전혀 다르다. 지구의 시간은 고작 하루가 지났을 뿐이니 그가 변했을 리는 만무하다.

'아, 나야말로 답이 없는 새끼였구나.'

"뭘 봐? 할 말 끝났으니 꺼져."

담배 연기를 뿜으며 눈살을 찌푸리는 신동규 중장의 모습에 나는 깊이 고개를 숙였다.

"정말…… 감사했습니다."

그러자 그의 눈이 한순간 커졌다가, 이내 반달처럼 휘어진다.

"새끼. 그래. 전역 축하한다."

때는 2089년 8월 3일.

마침내 군 생활을 마친 내가 사회로 나가던 날이었다.

*　*　*

무인 택시에 탄 나는 내 허벅지 위에 앉아 배를 드러내고 있는 갈색 고양이의 배를 툭툭 두들겼다.

당연하지만 애완동물과 노는 게 아니라 스마트 펫을 등록하려는 중이다.

"좋아. 네 이름은 체다라고 하지."

"기기명을 다시 한번 말씀해 주십시오."

또렷한 여성의 목소리로 대답하는 고양이에게 답한다.

"체다."

"등록되었습니다."

DNA와 영자 패턴을 등록하고 앱들을 다운받는다. 나는 가장 먼저 집부터 구하기로 했다. 장소는 서울. 워프

게이트와 텔레포트로 거리의 제약이 사라지면서 수도권의 부동산 가격이 폭락했지만 성지(聖地).

광화문 광장이 있는 서울의 집은 원룸이라도 가격이 만만치 않다.

'하지만 서울에서 한번 살아 보는 게 꿈이었단 말이지.'

나는 3년 군 생활 동안 모았던 8천만 원 중 절반 이상을 사용해 원룸 하나를 구매했다.

원룸은 10평도 안 될 정도로 좁았지만 이미 부모와 의절한 것이나 다름없는 홀몸이었던 내게는 상관없는 상황.

나는 체다의 배를 두들겨 검색을 시작했다.

아르데니아 대륙.

킬리언스 산맥.

한 브론즈 소드 남작.

결과는 금방 나왔다.

-스텟 하나로 립생이 바뀐다!-

-진짜 전쟁을 시작한다. 리벤지!-

-리벤지. 그 시작과 끝.-

"하. 시발 진짜."

그것은 온라인 게임이다.

가상 현실 접속기로도, PC로도 플레이할 수 있지만 대부분의 플레이를 스마트폰으로 하게 되는 모바일 게임.

"심지어 잘나가네."

리벤지는 전 세계 매출 1위에 빛나는 인기 게임이다.

하루 매출 최대 920억.

일일 평균 매출 110억.

1인당 평균 과금액 280만 원.

리벤지 개발사인 네메시스 소프트를 세계 10대 기업에 올려놓을 정도의 흥겜.

그러나 네티즌의 평가는 썩 좋지 않다.

–망겜. 아니 돈 존나 버니 망겜은 아니지. 쓰레기 게임.

–1인당 평균 과금액 봤음? 280만 원임 시발 ㅋㅋㅋㅋㅋㅋㅋ 미친 거 아님? 내 월급이 300만 원이 안 되는데 ㅋㅋㅋㅋ

–무과금 유저가 그렇게 많은데 평균 과금액이 280만 원이면 ㅋㅋㅋㅋㅋㅋ 아니 대체 핵과금러들은 얼마씩 지르고 있는 거?

–아 이딴 게임이 10년째 부동의 매출 1위니 새로 나오는 게임도 다 벤치마킹해서 주머니 털려고 혈안이 되잖아 ㅡㅡ+

–아 ㅋㅋㅋㅋㅋ 하지만 그래도 리벤지가 돈 버는 게임이긴 하지.

–돈을 ㅋㅋㅋㅋ 벌려면 ㅋㅋㅋㅋ 일을 ㅋㅋㅋㅋㅋ 해야지 ㅋㅋㅋㅋ

–학생 ^^ 글 내려 ^^

사실 나도 리벤지의 이름 자체는 귀에 박힐 정도로 들어 왔다. 그 정도로 흥한 게임이었으니까.

다만 해 본 적은 없다.

왜냐하면 리벤지는, 전형적인 과금 게임이었기 때문이다.

"하지도 않은 게임이니 게임 지명을 모르지."

사실 이상하다는 생각은 종종 했었다.

바둑판 모양의 대륙이라니?

강과 산이 반듯한 선처럼 그어져 있는 지형은 누가 봐도 부자연스럽다. 하물며 아르데니아 대륙의 공용어는 한국어이고 문자는 한글이다. 그런 주제에 지명이나 고유어 등은 서양의 그것들이니 누가 봐도 정상이 아닌 상황.

모든 상황이 하나의 사실을 가리키고 있다.

"게임."

온몸에 힘이 탁 풀리는 느낌이다.

"내가 20년 동안 살아온 그곳이 게임 속이라……."

20년 동안 수많은 일이 있었다. 생사의 경계를 넘고 살기 위해 굴욕을 감내하고 때론 비참한 패배를, 때론 극적인 승리를 경험했다.

학교에서는 양아치, 사회에서는 백수, 군대에서는 고문관이었던 애송이는 20년이라는 세월 동안 백전 연마의 기사가, 장군이, 영주가 되었다.

그런데 그 시간과 경험이 게임 속 세상에서 일어났던 일이라니?

"다만…… 좀 다르군."

검색 결과에 아르데니아 대륙도 나오고 킬리언스 산맥도 나오지만 한 브론즈 소드 남작, 그리고 한 브론즈 소드 남작령에 대한 이야기는 어디에도 없다. 심지어 남작령이 있던 장소를 찾기까지 했는데 그곳의 지명은 전혀 다르다.

"게임과 똑같은 모습의 세상에 내가 들어갔다는 말인데."

일단 그렇게 가정하고 체다를 들어 리벤지를 설치한다. PC와 연동되어 있었기에 PC버전의 리벤지 역시 자동으로 설치된다.

아마 집에 접속기가 있었다면 거기에도 게임이 설치되었을 것이다.

그리고 설치가 진행되는 동안.

"로그인."

한순간 원룸의 모습이 사라지고 드넓은 하늘이 시야를 채운다. 고개를 숙이니 정사각형의 대륙이 보인다.

가로세로 19줄.

한 칸의 길이가 100킬로미터나 되는 거대한 바둑판.

흐르는 강이, 솟구친 산맥이 선의 역할을 하는 세계.

"으아앙! 엄마! 엄마, 어디 있어! 으아앙!"

"티나. 미안하다…… 아빠가 미안해."

"대체 저 괴물들은 뭐지? 어디에서 나타난 거야?"

"종말이야…… 모든 게 끝장이야……."

"끄아아악! 아파! 아프다고!"

우리는 영지의 북쪽에 위치한 훈련장에 집결해 있었다. 지금 이 영지를 그저 시작이라 생각하고 있던 내 의중에 따라 상당한 규모를 가지고 있는 훈련장이었기에 모든 영지민이 자리하기에 충분했다.

아니, 정확히 말하면 자리와 장비가 남을 지경이다.

"제길."

훈련장까지 무사히 온 영지민의 숫자는 고작 1000여 명 정도에 불과하다. 한순간에 영지민의 3분의 2가 사라진 것이다.

물론 사방으로 흩어져 도망친 이들이 있을지도 모르지

만 훈련장에서 하루 넘게 기다렸음에도 오지 못한다는 건 더 기다려 봐야 소용없다는 말이었다.

"돌겠군."

기가 막힌 현실에 짜증이 치솟았지만 짜증을 내거나 절망하는 모습을 보일 수는 없다. 영지를 잃었다 해도 나는 여전히 이들의 우두머리. 내가 흔들리면 영지에 단둘밖에 없는 기사와 하나밖에 없는 마법사, 그리고 혼란에 빠져 있는 병사 모두가 흔들릴 것이다.

"스틸스톤."

"네, 영주님."

"기껏 영지를 얻었건만 또 사람들을 이끌고 방황하게 생겼군. 20년 전이 생각나지 않나?"

내 말에 돌처럼 굳어 있던 스틸스톤의 얼굴에 옅은 미소가 피어오른다. 스틸스톤은 내가 맨 처음 이 세계로 넘어왔을 때 귀족들의 [인간 사냥]에서 구해 낸 인물이었다. 마을 사람들 중 유일하게 귀족들에게 맞서며 버티고 있던 재능 있는 자경단원.

그는 산적이 되어 산채를 운영했고 용병이 되어 전쟁에도 참여했다. 그리고 내가 남작이 되었을 때, 그는 기사가 되어 내 곁을 지키고 있다.

그리고 지금도 옆에 함께하는 전우이기도 했다.

"마을 뒷동산도 안 되는 곳에 산채를 꾸렸었죠. 몬스터가 없는 대신 토벌군이 지겹도록 찾아왔던 게 기억납니다."

우리는 망연자실해 있는 영지민들을 둘러보았다.

영주성을 비롯한 기존 거주지는 더 이상 쓸 수 없다. 던전에서 쏟아진 오크의 숫자가 거의 1만 마리에 육박했기 때문이다.

'미쳤지.'

그렇다. 1만이다.

고작 3000명의 영지민이 살던 영지에 엔간한 헬창도 울고 갈 덩치의 오크가 1만 마리라니 어이가 없다. 오크가 얼마나 많은지 오크와 오크 사이의 간격이 3미터가 채 안 됨에도 영지가 가득 차 보일 지경이었다. 영지민 3000명도 배불리 먹고 살지 못한 오지에 1만 군세가 웬 말인가?

그야말로 말이 안 되는 광경이지만…… 나는 알고 있다. 사실 말이 된다는 것을.

'그래. 여기가 현실이 아니고 게임이면 말이 되지.'

오크 투사를 해치우며 나는 어이없는 광경을 목격했다.

오크 투사가 죽은 뒤 잠깐의 시간이 지나자 그 시체가 사라지고, 거기에 금화가 들어 있는 주머니가 드랍(DROP)되는 장면을.

'13골드. 적당한 식당에서 한 끼 먹으면 1골드 정도 들

어가니 13끼를 먹을 돈이다.'

이렇게 되면 상황이 심각해진다.

최악의 상황에는…… 리젠이 될지도 모른다는 뜻이기 때문이다.

'미친 상황이지.'

리젠(regen). 재생, 부활 등을 의미하는 regeneration의 줄임말이다, 게임에서 몬스터가 사망한 뒤 일정한 시간이 지나면 다시 나타나는 현상을 일컫는 말.

만약 리젠이 된다면 내가 온몸이 박살나는 부상을 감수하며 처치한 오크 투사가 다시 살아날 것이다. 오크 전사 하나가 엔간한 기사랑 맞먹는 지금 상황에서 그런 괴물까지 맘대로 살아난다면 부상만 입어도 회복이 불가능한 인간들이 어찌 대적할 수 있겠는가?

거기까지 생각했을 때 정찰병이 돌아왔다.

"충성! 영주님을 뵙습니다!"

"상황이 어떻지?"

"피해야 합니다! 그 오크라는 괴물 녀석들이 백 마리씩 부대를 이뤄 사방으로 흩어지고 있는데 경로 상 그중 하나가 훈련소을 거쳐 갈 것으로 예상됩니다!"

"……."

인상이 절로 찡그려진다.

'아니, 드랍하고 리젠은 게임 시스템을 따르면서 움직

임은 자기들 마음대로라고?'

온라인 게임의 몬스터는 보통 리젠된 지점에서 일정 거리 이상을 벗어나지 않기 마련이다. 몬스터가 리젠된 자리에 있어야지 막 돌아다니면 사냥을 어떻게 하겠는가?

그러나 잘 생각해 보니 오크 투사 역시 나를 잡으려고 3킬로미터나 쫓아왔었다.

'안 되겠다. 정보부터 더 얻어야지.'

나는 이동 명령을 내리기 전에 먼저 말했다.

"로그아웃."

지구로 돌아온다. 리벤지 설치는 전혀 진행되지 않았다. 광자 시대에 설치가 오래 걸리는 건 당연히 아니다.

"진짜 단 1초도 안 지나네."

이미 몇 번이나 확인한 결과지만 아무리 봐도 신기한 현상.

내가 아르데니아 대륙에 들어가면 지구의 시간은 멈춘다. 20년을 살았어도 시간의 흐름을 못 느꼈을 정도니 비율을 걱정할 필요가 없을 정도.

반대로 지구에 나오면 아르데니아의 시간이 멈춘다. 시간의 흐름이 철저히 분리되어 있고, 심지어 그 기준점이 나라는 소리다.

"홈페이지부터 보자."

리벤지가 설치되는 동안 사이트에 접속해 게임 정보를

탐독한다.

세계관, 전체 지도, 몬스터 백과사전, 질문&답변 게시판, 초보자 가이드, 주요 시스템, NPC 목록 등등.

그리고 그 결과 알게 되었다.

"대륙력 1317년…… 그렇군. 15년 뒤가 게임 시작 연도야."

평화롭던(직접 살아 본 입장에서는 영 아니올시다지만.)아르데니아 대륙에 게이트가 열리고 이계의 생명체들이 쳐들어오기 시작한다.

최초 인류는 그것을 잘 막아 내었지만 끊임없이 밀려드는 적들을 이겨 내지 못하고 제국과 왕국 모두가 자신의 터전을 포기하고 변경으로 쫓겨나게 된다.

그리고 그 후 10년.

인류는 자신의 터전을 되찾기 위해, 몬스터들에게 복수하기 위해 군대를 일으킨다.

그렇기에 리벤지(REVENGE).

리벤지는 마치 바둑을 두듯 몬스터들에게서 대륙을 되찾는 게임이다.

"5년 안에 두 제국과 연맹, 그리고 왕국 전부가 다 망한다? 하긴, 이 상황이면 안 망하는 게 오히려 이상하지."

리벤지는 어떻게 생각하면 아포칼립스물이라고도 할 수 있다. 인류가 한 번 멸망하고 그걸 되찾기 위해 싸우는 것이 플레이 내용이었으니까.

나는 전체 지도를 다시 살폈다.

여기저기에 몬스터 아이콘이 박혀 있는 바둑판 모양의 지도가 보인다.

"역시…… 바둑판의 바깥으로 갈수록 저렙 존이군. 다만 화점(花點)에는 특별한 공략이 필요한 스페셜 보스가 자리하고 있다……. 아르데니아로 치면 우리 영지 남서쪽에 있는 착점이로군. 수도인 지마일인가."

그리고 바둑판의 정중앙인 천원(天元)에는 리벤지 유일의 신화급 몬스터, 망령룡(亡靈龍) 레플리가 자리하고 있다.

"교과서에서나 볼 법한 이름이……."

리벤지가 서비스된 지 어느새 10년이 넘었지만 레플리는 아직 잡히지 않았다.

바둑판의 대부분을 플레이어가 먹은 지금도 바둑판의 정중앙. 천원의 던전만은 난공불락의 성체로서 자리하고 있다니 말 다 한 상황.

"영지를 얻는 방법도 특이하네. 세상이 바둑판 모양이니 어울리다고 해야 하나."

아르데니아 대륙은 가로 19줄, 세로 19줄의 바둑판 모양이며 줄과 줄이 만나는 착점은 361개가 존재한다.

이제 그 착점은 용맥이 아니라 던전이 되었고 그중 붙

어 있는 4개의 던전을 클리어해 하나의 [집]을 만든다면 그곳은 영지가 되어 던전을 공략한 길드의 소유가 된다.

영지를 획득하게 되면 길드는 해당 영지에서 세금을 거둘 수 있고 각종 이벤트 혜택, 특수 레이드 등을 진행해 엄청난 이득을 볼 수 있기에 플레이어들은 이 영지를 늘리기 위해 하루가 멀다 하고 길드전을 하고 있다고 한다.

"내 영지는…… 일단 포기하는 수밖에 없나."

계획을 정리한다. 일단은 추격해 오는 오크들을 피해 몬스터가 없는 지역으로 이동해야 한다. 가능하다면 북으로 100킬로미터 이동해 저렙 존에 도착해야 한다.

다행히도 내 영지는 변방에 위치한 편이라 저렙존과 그리 멀지 않다.

"어디 보자, 몬스터가…… 북쪽 던전이면 고블린이군. 등급은 일반"

오크(고급)는 몰라도 고블린(일반)이라면 영지민들로도 충분히 상대할 수 있다는 생각이 든다.

"물론 좀 더 확실하게 하려면 두 칸 위로 올라가는 게 좋겠지만……."

두 칸 위, 그러니까 바둑판의 외곽선쯤 되면 멧돼지(일반), 곰(일반), 늑대(일반) 등이 등장한다. 이곳까지 가면 상황은 훨씬 좋아진다. 심지어 녀석들은 식량이 될 수 있는 고기와 여러모로 쓸 곳이 많은 가죽을 드랍하니 후일을 도모할 수도 있을 정도!

문제는 거리다.

"두 칸이면 200킬로미터……."

200킬로미터면 서울에서 전라도까지의 거리다. 나 혼자라면 몰라도 영지민을 이끌고 그만한 거리를 어떻게 이동하겠는가? 반드시 낙오자가 발생할 테고 영지민들의 사기는 바닥을 길 것이다.

"야옹!"

느닷없이 체다가 울었다. 고개를 돌리자 녀석이 입을 열었다.

"리벤지의 설치가 완료되었습니다."

"그래, 일단 해 봐야지."

리벤지는 모바일로도, PC로도, 접속기로도 플레이할 수 있는 편의성 높은 게임.

나는 잠시 체다를 바라보다 그냥 PC 앞에 앉았다. 이왕 집에 있으니 키보드와 마우스로 해 볼 작정이다.

[아름답고 평화로운 아르데니아 대륙은……]

인트로 영상이 실행되고 아름다운 성과 넓은 호수, 드넓은 숲의 모습이 보인다. 심지어 몇 군데는 내가 직접 가 본 곳이라 눈에 익기까지 한 곳.

그러나 전혀 반갑지가 않다.

"아름답고 평화롭다니……."

어이가 없는 말이다.

귀족들이 심심하다고 평민 사냥을 다니고, 영지의 세율을 7할(기존 세금은 9할이었다.)로 내린다고 했더니 옆 영지에서 사절을 보내 왜 언급도 없이 세금을 덜 걷느냐고 지랄하는 미개한 중세 랜드가 아름답긴 뭐가 아름답고 평화롭긴 또 얼마나 평화롭단 말인가?

내가 투덜거리거나 말거나 영상은 계속된다.

영상은 내가 이미 조사했던 세계관을 간략하게 설명했다. 인류는 이계에서 넘어온 몬스터와 이종족에게 삶의 터전을 빼앗겼고 특별한 힘을 타고난 각성자, 즉, 플레이어가 인류의 희망을 위해 모험을 시작한다는 이야기.

"뻔한 스토리네. 압도적 매출 1위라더니 왜 이리 양산느낌이……."

나는 종족은 인간, 성별은 남성, 외형은 기본으로 설정한 뒤 월드에 접속했다.

그리고 월드에 접속하자, 팝업창이 뜬다.

★☆스타터 패키지☆★ – 6검 4셋 패키지 판매 중!

★☆배틀 패스☆★ – 한 달 55000원으로 압도적 혜택들!

★☆비밀 물자 이벤트☆★ – 비밀 지도를 모으자!

모바일 게임에서 흔한 일이었기에 망설임 없이 '오늘은 더 이상 보지 않기'로 창을 꺼 버리고 게임을 진행한다.

게임 시작 지점은 [스타팅]이다.

"여긴 드웰링 남작령인데…… 다 망하면서 지명도 바뀐 건가."

스타팅은 바둑판의 가장 오른쪽 구석에 있는 장소다. 우리 영지에서 보면 위로 두 칸, 오른쪽으로 두 칸 이동해야 닿을 수 있는 장소.

그러니까 400킬로미터나 떨어진 곳이다.

'직선거리로는 조금 더 가깝지만…….'

그러나 선을 따라 움직이는 게 낫지, 대각으로 이동하려면 어마어마한 높이의 산맥을 몇 개나 넘어야 한다. 그 사이에 있는 야수나 괴수들을 생각하면 차라리 500킬로미터를 이동하는 게 더 현명하리라.

나는 잠시 스타팅을 둘러보았다. 어업을 주력으로 하는 드웰링 남작령은 용맥이 위치한 영주성 말고는 그냥 촌 동네에 불과했지만 스타팅은 다르다.

'이렇게 발전하다니…….'

이 중세 랜드와 전혀 어울리지 않는 15층~20층짜리 빌딩들과 단단한 석제로 포장된 도로를 어이없이 바라보다 주변을 지나가던 플레이어를 잡았다.

킬리언스 : 저기요, 저기요!
여신 발바닥 : 네? 저요?
킬리언스 : 네, 죄송한데 저 빌딩은 뭐예요? 여기 중세 시대 아니에요?
여신 발바닥 : 아, 빌딩이요? 뭐 10년 전 서비스 처음 시작할 때는 여기가 시골 마을 느낌이라고는 들었어요.
킬리언스 : 이제는 아니라는 건가요?
여신 발바닥 : 플레이어들이 있는데 당연하죠. 저거 길드 건물들이에요. 길드 레벨이 5단계를 넘으면 길드 하우징 시스템이 열리는데 거기에서 캐시랑 길드 포인트를 지불하면 빌딩을 살 수 있다고 들었어요. 여기 스타팅이 리벤지에서도 다섯 손가락 안에 드는 대도시라 이렇게 발전된 거지 아직 많은 도시가 중세 느낌이에요.]
킬리언스 : ……와. 네. 감사합니다.
여신 발바닥 : 뉴비신가 보네. 미친 과금의 세계로 오신 걸 환영합니다!

상당히 친절한 플레이어의 조언을 듣고 잠시 도시를 돌아본다. 이제 보니 꽤 커다란 규모의 공장 비슷한 건물도 보이고 과수원과 밀밭도 있다.

그리고 그 사이를 바쁘게 돌아다니는 수천수만 명의 사람들!

나는 마우스로 도시의 모습을 잠시 살펴보다 투쟁의 여신을 모시는 성녀 이사벨라에게 퀘스트를 받았다.

명령서를 전달하고, 마을의 골치라는 멧돼지(웃기는 게 빌딩들이 가득한 도시 사이사이 부자연스러워 보이는 공터가 있고 그곳에 멧돼지들이 있다.)를 사냥하고 능력치가 오르고 쓰레기를 줍고 알아서 도시의 등불에 불을 붙였다.

그리고 그 모든 과정은.

자동이다.

"이게 뭐야. 크냥 퀘스트 창만 클릭클릭하면 다 되잖아?"

이동도 자동, 전투도 자동, 대화도 자동, 퀘스트도 자동이다.

"그야말로 구닥다리⋯⋯ 이렇게 시시한데 어떻게 전세계 매출 1위지? 죄다 자동이라 컨트롤할 것도 없고 대화가 휙휙 지나가니 스토리를 읽어 볼 맘도 안 드는데."

나 역시 게임을 무수하게 해 왔다. RPG, MMORPG게임은 물론이고 전략 시뮬레이션도, 대전 게임도, 경영 시뮬레이션도 해 봤다.

PC게임은 당연하고 모바일 게임도, 가상 현실 게임도

해 보았다. 그중에는 수작도 많고 명작도 있었다. 게임이라는 콘텐츠가 존중받는 사회 분위기, 게임을 잘하는 것만으로도 스타가 될 수 있는 세상이었기에 훌륭한 게임이 많은 건 어쩌면 당연한 일이다.

그런데 그 모든 게임을 제치고 전 세계 매출 1위인 게임이 이렇게 밋밋하다니?

게임이 얼마나 쉬운지 시스템을 이해하는 최소한의 과정조차 필요하지 않다. 무려 20년을 중세 랜드에서 살아온 나조차 플레이에 어려움이 없을 정도!

아케인 : 각성자인가. 10레벨이 되었군. 이제 전직을 통해 그대는 직업을 가지게 될 걸세.

전직 도우미 NPC 〈소울 마스터 아케인(영웅)〉이 품에서 카드 한 장을 꺼내 내 캐릭터에게 넘겨준다.

〈아케인에게 100다이아를 얻으셨습니다!〉
〈100다이아는 1만 원의 가치를 가지고 있습니다.〉

아케인 : 화면 왼쪽 위의 캐시숍을 터치하게. 아, PC로 플레이 중이니 클릭인가.

아케인의 안내에 따라 캐시숍을 열었다. 모든 창이 비활성화되어 있고 오직 하나, [클래스 소환] 창만이 반짝인다.

〈클래스 소환권을 획득하였습니다!〉

〈100다이아가 소모됩니다!〉

티리링~!

획득한 카드를 클릭하자 카드가 하늘로 날아오른다. 그리고 장난스러운 미소를 짓고 있는 여신상의 모습이 언뜻 스쳐 지나가더니.

텅!

하늘에서 활 한 자루가 떨어져 바닥에 박힌다.

아케인이 말한다.

아케인 : 축하하네! 전직이 완료되었군! 자네는 지금부터 아처(일반)일세!

영문 모를 사태에 입이 벌어진다.

"뭔 개소리야? 직업 선택창 어디 갔어? 에러인가?"

나는 황당해 채팅을 쳤다. 다행히 리벤지의 NPC들은 대화가 가능한 수준의 A.I를 가지고 있다. 3단계 이상의 A.I들이 만만치 않은 가격을 가지고 있다는 걸 생각 해 보면 과연 매출 1위의 게임이라 할 수 있다.

킬리언스 : 저기, 저는 검사 하고 싶은데요?
아케인 : 그런데?
킬리언스 : ?
아케인 : ?
킬리언스 : ?

서로 갈고리로 대화를 나누기를 10여 초. 상황을 파악했다는 듯 아케인이 설명한다.

아케인 : 아하, 클래스 체인지 시스템을 모르는 모양이군. 다른 직업을 하고 싶으면 새로 직업을 획득해 언제든 클래스 체인지를 하면 된다네.
킬리언스 : 클래스는 어떻게 또 얻을 수 있나요?
아케인 : 10레벨마다 주어지는 퀘스트를 수행해 획득하거나 아주 희귀한 확률(0.000001%. 대륙 전 몬스터 대상. ※확률형 아이템 규제 법안에 따라 공개됩니다. 앞으로 안내 문구는 보이지 않습니다.)로 드랍되는 클래스 소환권을 획득하거나……
킬리언스 : 획득하거나?
아케인 : 다이아로 클래스를 구매하면 되지.

킬리언스 : …….

입이 떡 벌어진다. 이 현실을 믿을 수가 없었다.

"미친. 직업을 돈 주고 사야 한다고? 그것도 한번 굴리는 데 만 원. 심지어 랜덤으로 나오는 카드를?"

아케인 : 확률은 괜찮은 편이네. 10장을 사면 1장 정도는 고급이지.

킬리언스 : …….

그야말로 미친 소리.

그제야 나는 온갖 게임을 다 하던 20년 전의 내가 왜 리벤지를 건드리지 않았는지 떠올릴 수 있었다.

"미친 과금겜……."

리벤지, 리벤지 말은 많이 들어 봤지만 설마 이 정도일 줄이야.

내가 황당해하거나 말거나 아케인은 안내를 계속한다.

아케인 : 아, 참고로 스타터 패키지에는 〈고급 직업 선택권〉이 포함되어 있지. 반드시 선택하고 싶은 직업이 있다면 이것 역시 좋은 선택일 거다.

나는 캐시숍에 들어가 클래스 소환권의 상품 설명을 읽었다.

리벤지의 등급 분류는 〈일반〉, 〈고급〉, 〈희귀〉, 〈영웅〉, 〈전설〉, 〈신화〉.

그리고 각각의 확률은.

일반(90%), 고급(9%), 희귀(0.9%), 영웅(0.1%).

합쳐서 100%.

킬리언스 : 저기, 확률표에 전설이랑 신화가 없는데.

아케인 : 전설 직업과 신화 직업은 상급 클래스 소환권에서 얻거나 특수한 레이드 퀘스트를 수행하셔야 하네.

나는 캐시숍을 뒤져 상급 클래스 소환권의 확률표를 보았다.

일반(90%), 고급(9%), 희귀(0.9%), 영웅(0.09%). 전설(0.009%), 신화(0.001%).

참고로 클래스 소환권의 가격은 100다이아(1만 원)이고 상급 클래스 소환권의 가격은 1000다이아(10만 원)이다.

아케인 : 상급 클래스 소환권 10장 묶음에는 확정 고급이 한 장씩 껴 있다네! 나름대로의 배려라 할 수 있지.

킬리언스 : 상급 소환권 10장이면 1만 다이아(100만 원)

잖아요! 가격이 10배가 뛰는데 이게 배려라고요?

"잠깐…… 잠깐. 그럼 신화 클래스를 뽑으려면 얼마가 필요한 거야?"

신화 클래스는 상급 클래스 소환권에서만 등장하니 상급 클래스 소환권을 구매해야 한다. 상급 클래스 소환권은 한 장에 10만 원.

신화급 직업의 등장 확률은 0.001%, 그러니까 10만분의 1이다.

확률대로 등장한다고 가정할 시 신화 클래스를 뽑기 위해 필요한 금액은 10만*10만 원.

"100억…… 원?"

대략 정신이 혼미해진다. 이제는 슷제 의문이 들었다. 이런 걸 뽑는 정신병자가 정말 세상에 존재한단 말인가?

그런데 그때 한 캐릭터가 내 캐릭터 옆으로 다가온다.

두꺼운 오른팔 : 직업 맘에 안 드시면 리세마라 하세요.

그러자 아케인이 신경질을 부린다.

아케인 : 아, 좀 초치지 말고 꺼져.

두꺼운 오른팔 : 아니 아케인 아저씨, 초를 치다뇨. 이건

게임사도 인정한 플레이 방식이거든요?

킬리언스 : 리세마라요?

두꺼운 오른팔 : 리세마라 몰라요? 리셋+마라톤이요. 지금 게임 삭제하고 계정을 새로 만들어서 튜토리얼 다 하고 10렙 찍어서 아까 그 소환권 다시 받아 굴리는 거죠. 10분 정도 더 진행하시면 수호령 뽑기권이랑 펫 뽑기권도 주니까 그것까지 받고, 고급이 하나도 없으면 리세하는 거예요. 베스트는 직업을 희귀급으로 뽑는 거지만 셋 중 하나라도 희귀 뜨면 그 계정은 굴릴 가치가 있죠. 영웅급이 뜨면 대박이구요.

아까도 그랬지만 친절한 설명이다.

'확실히 가치가 있군.'

공짜로 준 클래스 소환권만 해도 1만 원짜리. 수호령 소환권과 펫 소환권이 비슷한 가치를 가진다면 리세마라를 시도할 때마다 3만 원의 자원을 아끼는 셈이라 할 수 있을 것이다.

다만 문제는.

킬리언스 : 시간은 얼마나 걸리죠?

두꺼운 오른팔 : 익숙해지시면 2시간 정도 걸려요. 설치 시간하고 계정 만드는 시간도 있어서.

잠시 고민한다.

'튜토리얼이 어려운 것도 아니고 클릭만 하면 되니 못 할 건 없다.'

그러나 돈 대신 시간이 날아간다는 게 문제다. 다시 한다고 언제 검사가 나올까? 리벤지의 직업 계통은 3전사(소드맨, 워리어, 실더), 3도적(어쌔신, 아처, 헌터), 3술사(위저드, 클레릭, 워록)로 9개나 되는데 말이다.

하물며 고급과 희귀를 노린다면?

고급을 위해 리세마라를 10번(9%) 한다면 20시간이고 희귀를 위해 100(0.9%)번 한다면 200시간이 아닌가?

때문에 채팅을 쳤다.

킬리언스 : 아뇨, 그냥 스타팅 패키지를 사죠. 너무 오래 걸릴 것 같네요. 조언 감사합니다.

두꺼운 오른팔 : 여유 있으면 당연히 그쪽이 낫지요. 요새 뉴비가 점점 줄어들던데 접지 말고 힘내서 하세요!

킬리언스 : 감사합니다!

플레이어를 떠나 보낸 나는 캐시숍에 들어가 5만 원짜리 스타터 패키지를 구입했다.

★☆스타터 패키지☆★를 구입하셨습니다!

본 상품은 [6강 고급 무기 선택권]와 [4강 고급 방어구 5세트 선택권], 그리고 [고급 등급 클래스 선택권]으로 구성되어 있습니다.

서버당 1회 구입 가능합니다!

※스타터 패키지 관련 상품은 향후 유사한 형태로 재판매될 수 있습니다.

"직업은 검사, 무기는 검, 방어구는 가죽으로 해야겠다."

게임을 꽤 해 왔지만 과금은 처음이다. 차라리 패키지 게임을 하거나 게임방을 이용했지, 이런 식의 과금은 호구 짓이라고 생각했기 때문이다.

띠링!

내 캐릭터 위로 커다란 덩치의 독수리 한 마리가 날아오더니 상자 하나를 던져 주고 사라진다.

상자를 클릭하니 내용물이 쏟아진다.

"이런 식으로 주는구나. 난 또 로그인이라도 새로 해야 하는 줄 알……."

팟!

순간 세상이 일그러지고 배경이 변한다. 로그인 된 것이다.

'……혼잣말이었는데.'

그러나 내가 무슨 생각으로 말하건 상관없이 로그인이라는 말을 입에 담으면 끌려오는 모양이다.

"영주님, 즉시 준비시키겠지만…… 지금 영지민들 상태로는 오크 추적대를 떨궈 낼 수 없습니다."

나는 스틸스톤의 말이 무슨 뜻인지 잠시 혼동이 왔지만 이내 수천의 오크가 던전에서 나와 사방으로 흩어진 상황에서 로그아웃했다는 걸 떠올릴 수 있었다.

"일단 준비시켜. 방법을 찾아볼 테니."

"그건…… 네. 알겠습니다, 영주님."

스틸스톤을 보내고 잠시 고민한다.

'지구에서야 112에 신고만 해도 끝날 문제인데.'

만약 그럴 수 있었으면 고생할 이유가 없다. 전화 한 통이면 기가스를 탄 경찰 특공대가 우르르 몰려와 기관총과 입자포, 레이저포를 쾅쾅 쏴 오크가 1만 마리든 10만 마리든 다 날려 버렸을 것이다.

'지구의 병기를 가져올 수도 없고.'

온간 방법으로 시도해 봤지만 지구의 물건을 아르데니아로 가져올 수는 없었다. 마찬가지로 아르데니아의 물건도 현실로 가져갈 수 없다.

공유되는 것은 오직 하나. 내 육신과 기억뿐.

아르데니아에서 20년간의 사투로 얻게 된 흉터들은 현실의 몸에도 남아 있다.

아르데니아에서 밥을 먹으면 현실에서 먹을 필요 없고 현실에서 잠을 자면 아르데니아에서 잠을 잘 필요가 없는 상황.

사실 이것만 해도 엄청난 어드밴티지지만 이건 그저 내 한 몸 간수하는 데에나 이득이지 영지민을 지킬 수 있는 힘이 아니다.

"……응?"

그런데 그렇게 고민하는 내 앞에.

기묘한 것이 눈에 들어왔다.

[인벤토리. 17/50. 무게 40%]

"뭐야……."

잠시 그걸 가만히 지켜보자 어떤 이미지가 머릿속으로 떠오른다. 힐링 포션, 짐승의 가죽, 너덜너덜한 천 옷, 멧돼지의 살점 등등의 잡동사니들.

나는 그것들 중에서 가장 도드라져 보이는 무언가를 무심코 잡아…….

꺼냈다.

투두둑!

약간은 화려한 외양의 장검이 떨어진다. 가죽으로 만들어진 상의가, 하의가, 장갑과 신발이, 그리고 투구가 바닥을 구른다.

그리고.

한 장의 카드도.

티리링~!

획득한 카드를 잡아 던진다. 카드가 하늘로 날아오르더니 장난스러운 미소를 짓고 있는 여신상의 모습이 언뜻 스쳐 지나간다.

그리고.

텅!

하늘에서 한 자루의 검이 떨어져 바닥에 박힌다. 내가 손을 뻗어 그것을 잡아 뽑자…….

★☆전직 완료☆★

[하이 소드맨(고급)]

근력+80 민첩+40 체력+20 생명력+40 마나+20

-검 계열 스킬 사용 가능-

난데없는 상황에 영지민들과 병사들을 지휘하던 스틸스톤이 다가온다.

"영주님? 그 장비들은 뭡니까?"

그의 설명에 바닥에 떨어진 장비들을 바라봤다.

[시작의 장검(고급)+6], [시작의 가죽 갑옷 상의(고급)+4], [시작의 가죽 갑옷 하의(고급)+4], [시작의 가죽 장갑(고급)+4], [시작의 가죽 부츠(고급)+4], [시작의 가죽 투구(고급)+4].

일명 [시작] 세트.

"미친."

그렇다. 그것은 스타터 패키지.

내가 과금한 장비들이…… 아르데니아에 나타났다는 증거였다.

* * *

[시스템 로그]

고급 직업 확정권이 파기되었습니다.

[시작의 장검(고급)+6]이 파기되었습니다.

[시작의 가죽 갑옷 상의(고급)+4]이 파기……

[시작의 가죽 갑옷 하의(고급)+4]이 파기……

지구로 돌아와 시스템 로그를 살피니 스타터 패키지에 대한 내용이 쓰여 있다.

그리고 추가적인 몇 가지 시도 끝에, 나는 이 능력(?)

의 몇 가지 특징을 알게 되었다.

1. 아르데니아 쪽의 나는 또 다른 [계정]으로 인식된다. 때문에 지구의 리벤지 계정을 삭제한다 하더라도 이쪽의 계정은 무사할 것으로 보인다.(실험해 보기는 부담스럽지만.)

2. 때문에 수호 정령, 클래스, 펫, 그리고 컬렉션(장비를 모으면 스텟이 상승하는 시스템) 등은 공유되지 않는다.

3. 그러나 아르데니아에서는 리벤지의 모든 캐릭터(캐릭터는 20개까지 만들 수 있음.)의 인벤토리, 선물함, 우편함의 아이템을 마음대로 꺼낼 수 있다. 이 경우 리벤지 내의 시스템은 내가 스스로 아이템을 파기하였다고 인식한다.

4. 아르데니아의 아이템을 다시 인벤토리로 옮기는 것은 불가능하다.

5. 아이템을 지구로 가져가는 것도 불가능하다.

6. 그러나 육체에 적용된 효과(직업 등)는 지구에서도 적용된다.

나는 숲을 걸었다. 산을 내려가는 발걸음에 힘이 넘친다.

꾸욱.

주먹을 쥐자 돌도 부술 것 같은 강인한 힘이 느껴진다. 인생 어느 때에도 경험해 본 적 없는 최상의 상태다.

"미친. 이런 말도 안 되는…… 하하."

피식피식 웃음이 나온다.

슬쩍 눈을 감고 [상태창]을 켠다.

아이디 : 한재연

클래스 : 하이 소드맨(고급)

칭호 : 신규 모험가(일반)

레벨 : 1

근력 : 45(+80) 체력 : 48(+20)

생명력: 36(+40) 민첩 : 52(+20)

마나 : 1(+20) 마나력 : 1 항마력 : 1

회복력 : 31 마나 회복력 : 1 운 : 10

자유 스텟 : 0

상태 : 정상

근력이 3배가 되었다. 마나량과 생명력도 두 배 이상 늘었고 체력과 생명력도 무시 못 할 정도로 상승했다.

팟!

땅을 박차 뛴다. 그리고 내 몸이 그대로.

3.5미터를 뛰었다.

쿵!

다시 바닥에 내려서 잠시 가만히 있었다. 입꼬리가 씰룩거린다.

"하, 하하! 하하하! 와, 장난 아닌데?"

순수한 육체 능력으로 이만한 성능이 나오다니 믿을 수가 없다. 내가 생체력 수련자도 아닌데 이게 가능한 일이란 말인가?

"고작 5만 원짜리 패키지에 든 직업 하나에 이 정도라니."

검을 휘둘러 보았다. 묵직해야 할 장검이 마치 회초리 같다.

"이 정도 능력치에……."

육체 능력이 올랐지만 적응은 순식간이다. 스텟이 부족해 문제지 높은 거야 얼마든지 익숙해질 수 있다.

나는 손에 들린 시작의 장검(고급)+6 과 다섯 부위 가죽 갑주의 상태를 체크했다.

"이 정도 장비면……."

나는 깨달았다.

"가능하겠어."

적당히 어그로나 끌어 오크 추적대의 방향을 틀려고 했는데 생각이 바뀌었다.

"오~ 로로로로!"

"크허엉!"

"잡아라! 죽여라! 사냥해라!"

저 멀리에서 고함과 괴성이 들린다. 오크 추적대와 마수들과의 전투가 벌어진 것이다.

"평소 그렇게 위험하던 마수였는데…… 불쌍하게 되었군."

아르데니아 대륙을 지배하고 있는 건 분명 인간이지만 그렇다고 그 모든 영역을 인간이 지배하고 있는 것은 아니다. 특히나 우리 영지 같은 변방은 용맥이 존재하는 착점이나 간신히 차지한 상황이다.

'영지 간 거리가 100킬로미터나 되는데 왜 우리 영지 인원이 3000명밖에 안 되겠는가? 다 그럴 만한 이유가 있는 것이지.'

그리고 그 나머지 영역을 차지하고 있는 마수들이.

지금 털리고 있다.

쩍!

내려찍는 도끼가 송아지만 한 늑대의 어깨에 박힌다. 마수, 일각늑대는 흉성을 터트리며 오크 전사의 오른팔을 물었지만.

콰악!

"어림없다, 짐승! 그런 이빨로 내 살점을 뜯을 수는 없지!"

우락부락한 근육의 오크가 자신에게 매달린 일각늑대

의 머리를 마구 후려친다. 일각늑대에게 물린 팔에서 피가 마구 뿜어졌지만 단지 그뿐. 오크 전사의 말대로 일각늑대의 치악력으로 화살도 안 박히는 오크의 살점을 뜯어낼 수는 없었다.

'그러고 보니 횡액을 당하는 게 인간만은 아니겠군.'

아르데니아도 나름 판타지 세계로서 있을 건 다 있다. 마법과 검술, 성녀와 마녀, 신성제국과 마탑, 엘프, 드워프, 수인족, 악령, 언데드 등등.

다만 문제는.

'약해.'

내가 아르데니아 대륙을 판타지 세상이라고 안 부르고 중세 랜드라 무시하는 이유가 바로 그것이다. [리벤지] 전의 아르데니아 대륙은 소설이나 게임으로 치자면 로우(low) 파워 세계관이었으니까.

소드 마스터는 전설로나 내려오는 존재이고 1클래스 마법만 다룰 수 있어도 정식 마법사로 어깨에 힘주고 살 수 있다. 2클래스 마법을 다룰 줄 알면 숙련 마법사고, 3클래스 마법을 다룰 줄 알면 고위 마법사라고 불리는 곳이 무슨 판타지 세상인가?

이렇게 약한 세상이었기에 마수(魔獸)는 문자 그대로 최상위 포식자였다.

그러니까 지금까지는 그랬다는 말이다.

"켕!"

"크헝!"

"컹컹!"

신나서 덤벼들었던 일각늑대들이 당황해 짖는 모습이 보인다. 이곳에 있는 오크들은 고작 10마리에 불과하지만 그 배는 되어 보이는 일각늑대들이 줄줄이 죽어 나가고 있다.

'뿔이 눈에 보일 정도의 일각늑대면 십인마수(十人魔獸) 정도는 될 텐데 오크와 일대일이 안 되는군. 그렇다면 백인마수(百人魔獸)도 오크 10마리를 감당하기 어렵다는 말이다.'

즉, 내가 여기에서 오크 백인대를 상대로 살아남을 수 있다면.

'천인마수를 만나서도 살아남을 수 있겠지!'

좌악!

"적이다!"

"인간 놈이야!"

"진형을 고쳐!"

오크 한 놈의 목을 베며 난입하자 오크들 절반이 일각늑대를 전담하고 나머지 절반이 나를 향해 다가온다.

그리고 머릿속으로 기묘한 알림이 떠오른다.

[치명타!]

[오크 전사를 쓰러트렸습니다!]

[오크 전사(300)+여신의 가호 700%(2100)+신규 유저 보너스(300)=2700경험치가 상승했습니다!]

[레벨 업!]

[레벨 업!]

[레벨 업!]

……

[회복력과 마나 회복력이 15포인트 상승하였습니다!]

내 레벨은 단박에 1에서 15까지 올랐다. 나는 급한 와중에도 상세 알림을 꺼 버렸다. 전투 중에 경험치 내역을 계속 볼 수는 없기 때문이다.

'직업이 있으니 레벨 업도 되는군. 그런데 치명타?'

순간 의문이 일었지만 그런 걸 고민할 정도로 여유로운 상황은 아니다.

쩡! 깡!

[패링 성공!]

날아드는 검을 쳐 내자 빗겨 난 검이 허공을 베고 오크 녀석의 자세가 무너진다. 전에 싸울 때에는 충돌을 최대한 피하며 싸웠지만 이제 그럴 필요가 없다.

내 근력은 더 이상이 오크 놈들에게 밀리지 않았으니까.

콰득!

[치명타!]

[오크 전사를 쓰러트렸습니다!]

[레벨 업!]

[레벨 업!]

[레벨 업!]

내뻗은 검이 심장을 꿰뚫고 들어갔다가 뽑혀 나오자 피가 뿜어진다. 나는 몸을 뒤틀어 쏟아지는 피와 공세를 피하며 다시 한 놈의 목을 치고 지나갔다.

[치명타!]

오크 전사가 목을 부여잡고 주저앉는다. 아쉽게도 잘라내지 못했지만 아무리 터프한 오크라도 저런 치명상을 입고 전투에 참여하지는 못할 것이다.

"뭐 다 치명타래? 칼이 심장을 뚫고 들어갔으니 치명타긴 하겠지만서도!"

웃으며 땅을 박차고 뛰었다.

쿵!

비스듬히 5미터 가까이 날았다. 멀리에서 당황하고 있는 오크 전사의 목에 장검을 박아 넣었다.

[치명타!]
[오크 전사를 쓰러트렸습니다!]
[레벨 업!]
[레벨 업!]

"하하하하하!"

웃음이 터져 나온다. 스텟이 상승한 상태의 전투는 지금까지와 전혀 달랐다. 내 힘이 부족하기 때문에 적의 중심을 무너트려야 하고 기회를 노려야 하고 공격을 맞대지 않고 물러서서 흐름을 살펴야 하는 눈물의 똥꼬쇼를 할 필요가 없는 것!

'좋다! 너무 좋아! 이게 이능력자들이 보는 세계인가!'

등에 날개라도 달린 듯한 해방감이 느껴진다. 지금까지의 전투에서 느꼈던 답답함이 모조리 쓸려 사라지는 것만 같다!

[21레벨이 되었습니다!]
[자유 스텟 10포인트가 주어집니다!]

"자유 스텟."

나는 오크들을 돌아보았다. 세 놈을 죽이고 한 놈을 전투 불능으로 만들었지만 아직 여섯이 남았다.

그뿐이 아니다.

"오~ 로로로로!"

"형제가 공격당했다!"

"동쪽! 동쪽이다!"

숲 여기저기에서 함성 소리가 들려온다. 다른 오크들, 그러니까 나머지 90마리의 오크들이 전투의 소음을 듣고 움직이기 시작한 것이다.

"나중에 다시 보자!"

나는 망설임 없이 도망쳤다. 아무리 스텟이 높아졌어도 내 팔다리는 두 개씩밖에 없다. 포위당하면 답이 없으니 몰리는 상황은 피해야 한다.

"거기 서라!"

"인간 놈!"

눈이 벌게진 오크 놈들이 뒤쫓아 오기 시작한다.

'그러나 어림없지!'

오크 녀석들은 전력 질주로 500미터 이어 나갈 수 있을 정도로 강건한 체력을 가지고 있었지만, 그래 봐야 100미터 달리는 데 20초나 걸리는 형편없는 주력을 가지고 있다. 아무래도 떡 벌어진 어깨와 두꺼운 골반이 전력을 다해 도끼를 휘두르거나 충격을 버티는 데에는 유리해도 달리는 데에는 도움이 되지 않는 모양.

일반인보다 조금 나은 주력과 입문자에 불과한 내공을 가졌을 때에도 떨쳐 냈는데 직업을 가진 지금 잡힐 이유가 없다.

파파팟!

동쪽을 향해 전력 질주한다.

'좋아. 넉넉잡아 3일 정도면 다 잡을 수 있겠지.'

그리고 그렇게 시간을 버는 동안 영주민들은 부지런히 북쪽을 향해 이동할 것이다.

"로그아웃!"

조금의 체력 배분 없는 전력 질주로 5킬로미터 이상 동쪽으로 달린 뒤 지구로 돌아온다. 그리고 그대로 30분 정도 늘어져 있다 몸을 일으켰다.

"후. 이제 체크하자."

나는 리벤지 공식 홈페이지에 들어가 질문 답변란을 확인했다. 경험치에 대해 검색하자 수많은 검색 결과가 주르륵 늘어진다.

나는 그중 하나를 클릭했다.

[질문] 레벨 무한이라더니 겁나 안 올라요! 경험치 공식이 어떻게 되나요?

-리벤지 광고에서 레벨이 무한대로 오른다기에 레벨 업 팡팡 되는 줄 알았더니 35레벨부터 레벨 업 속도가 미친 듯 느려집니다 ㅜㅜ 하루 종일 자사(자동 사냥)를 해도 1레벨 오를까 말까예요 ㅠㅠ

[답변] 레벨 업은 잊고 사셔야 합니다.

-경험치보다는 장비나 스킬, 컬렉션을 맞추는데 집중하셔야 합니다!

초반 레벨 업 빠르죠. 스텟 상승도 달달하구요. 저렙 때에는 필요 경험치가 10경험치, 20경험치 이렇게 올라서 몬스터 몇 마리만 잡아도 레벨 업 하거든요. 10레벨에서 11레벨 찍는 데도 겨우 100경험치 필요한 식? 10레벨 때부터는 경험치가 100, 200 이렇게 올라가지만 역시나 감당할 수준입니다.

하지만 리벤지 경험치 시스템은 20레벨까지가 튜토리얼입니다!

20레벨부터는 경험치 공식이 완전히 달라집니다. 즉, [지금까지 필요했던 모든 경험치의 합]이 다음 레벨이 되기 위한 필요 경험치가 되지요.

즉 1레벨부터 20렙까지 필요 경험치가 5950이니 20레벨에서 21렙이 되려면 5950경험치가 필요하다는 말입니다. 21렙에서 22렙이 되려면? 11900경험치가 필요하지요.

경험치 상승 폭이 이런 식이니 레벨이 올라가면 올라갈수록 필요 경험치가 노답이 됩니다!

리벤지에는 만렙이 없지만 랭킹 1위의 검신(劍神) 마도 지존님이 현재 81레벨입니다. 어차피 어디에서 사냥을 하건 결국 레벨링에는 정체가 올 테니까 장비나 스킬, 특히나 컬렉션을 만드는 데 집중하세요!

사실상 컬렉션이 스펙 업의 알파이자 오메가입니다!

"필요 경험치 상승량이 미쳤나 보네…… 아니 그런데."

질문 답변들을 읽다 무심코 중얼거린다.

"컬렉션?"

컬렉션이라는 게 있다는 사실은 알고 있었다. 아이템 등을 컬렉션에 넣고 대신 근력+1이라던가 마력+1 이렇게 소소하게 올리는 콘텐츠.

그냥 곁다리로 있는 콘텐츠라고 생각했는데 이게 알파이자 오메가라니? 장비와 레벨, 그리고 무엇보다 이 사기급 콘텐츠인 [클래스]가 있는데?

"뭐, 드랍 템 넣는 정도일 테니 레벨링하면서 채워 가면 되겠지."

가볍게 생각하기로 하고 방을 나서 엘리베이터에 탔다.

내가 구한 원룸은 서울특별시 종로구에 있는 룸 타워

(Room tower)였다. 각각의 사이즈를 가진 방들로 이루어진 80층짜리 빌딩.

나는 끼니를 위해 엘리베이터로 이동했다. 그런 내 옆으로 체다가 도도도 따라온다. 내가 신경 안 써도 알아서 따라다니는 스마트폰이라니 편하긴 하다.

"알알! 알알!"

엘리베이터를 기다리는데 저 멀리서 개소리가 들린다. 고개를 돌려보니 복도 중간쯤의 문이 열리고 갈색의 토이 푸들 한 마리가 튀어나오는 모습이 보였다.

"써쓰야! 얌전히 있어야지!"

원룸에서 20대 초반으로 보이는 여자가 개를 따라 나온다. 머리를 대충 뒤로 묶고 복장도 헐렁했지만 그럼에도 상당한 미모를 뽐내고 있다.

"킁! 킁킁!"

토이 푸들이 내 쪽으로 호다닥 달려오더니 체다에게 접근해 엉덩이 냄새를 맡는다.

당연한 말이지만 스마트 펫인 체다는 신경도 쓰지 않는다. 저 개가 적의를 가지고 공격을 가하지 않는 이상 그 태도는 변하지 않을 것이다.

"써쓰! 앗, 죄송합니다."

"아뇨, 별로."

대충 넘기고 1층을 누른다. 여자도 엘리베이터에 탄다.

'진짜 개인가 보네.'

스마트 펫이 대세인 요즘 흔치 않은 케이스다. 진짜 개는 똥오줌도 치워 줘야 하고 먹이도 시간마다 먹여야 할 텐데.

띵!

우리는 별다른 대화 없이 1층에 도착해 식당으로 향했다. 전혀 대화가 없었음에도 도착지는 같다. 엘리베이터에서 가장 가까운 거리에 있는 덮밥 집이었다.

"돈가츠 덮밥."

-주문이 완료되었습니다.

"오징어 덮밥이요!"

-주문이 완료되었습니다.

각자의 자리에 앉는다.

'일단 게임을 좀 더 해야겠어. 잠시 돌아가지 말고 지구에서 리벤지를 좀 더 플레이하면 더 좋은 장비를 구할 수 있겠지.'

그리고 그러다 생각한다.

'다만 클래스는 그런 식으로 구할 수 없는 것 같다는 말이지.'

"체다."

이름을 부르자 테이블 아래 몸을 웅크리고 있던 체다가 날렵하게 의자를 밟고 테이블 위로 앉아 배를 드러낸다.

기본적으로 뚱냥이(기능을 위해 일정 이하의 크기를 가질 수는 없다.)에 가까운 형태의 체다였기에 화면은 큼직.

"알알! 알!"

"써쓰, 조용히 해야지."

"낑……."

잠시 개 소리가 들렸지만 무시하고 덮밥을 받아 든다. 이어 자리로 돌아와 체다의 배를 두들겼다.

"어디 보자……."

공식 홈페이지와 카페 등을 둘러보았지만 게임 플레이 중 클래스를 얻었다는 말은 거의 없다. 드랍이 안 되는 건 아니지만 거의 의미 없는 확률이고 거래도 어려운 품목이라 그냥 과금으로 뽑아야 하는 느낌.

"사는 수밖에 없나."

게임을 많이 해 왔지만 과금과는 거리가 먼 삶을 살았다. 고작 데이터 쪼가리 따위에 적지 않은 돈을 쓴다는 게 말이 안 된다고 생각했기 때문이다.

그러나.

꾸욱.

주먹을 쥐는 것만으로 일반인을 초월한 근력이 느껴진다. 그뿐 아니라.

웅!

몸 안을 흐르는 내공이 느껴진다. 죽을 때까지 [1년 내공]도 쌓을 수 없을 거라는 선별사의 말과 다르게 충실감이 드는 내공.

'대단해.'

믿을 수가 없는 일이다. 우주에서도 쟁쟁한 지구의 기술로도 해결하기 어려웠던(불가능하지는 않다. 수백 수천억이 들어서 그렇지……) 내 [폐급 마나 적성]을 극복한 것이나 다름없기 때문이다.

심지어 이 클래스는 일반, 고급, 희귀, 영웅, 전설, 신화의 등급 중 아래서 두 번째에 불과하지 않은가?

나는 공식 홈페이지에서 클래스 설명을 확인했다.

"나름 규칙이 있었군. 일반 클래스는 상승 스텟이 총합 100포인트. 주 스텟 하나에 40포인트가 주어지고 서브 스텟 두 개에 20포인트씩, 그리고 나머지 두 개의 스텟에 10포인트씩."

예를 들어 내가 이미 얻은 일반 클래스 아처의 상승 폭은 근력+20, 민첩+40, 체력+20, 생명력+10, 마나+10이다. 주 스텟인 민첩에 40포인트가 오르고 서브 스텟인 근력과 체력에 20, 생명력과 마나가 10포인트 오르는 것.

그렇다면 고급은 어떨까?

'스텟 총합 200포인트. 똑같은 비율에 2배의 스텟 증가

가 이루어진다.'

내가 지금 장착하고 있는 고급 클래스 직업, 하이 소드맨이 근력+80, 민첩+40, 체력+20, 생명력+40, 마나+20이 오르는 걸 보면 알 수 있다. 하이 소드맨은 주 스텟이 근력이라는 차이가 있을 뿐이다.

그리고 그다음 단계인 희귀.

"스텟 총합 300포인트. 더해서 직업 버프가 생기네."

예를 들어 소드맨 계열 희귀 클래스 검귀(劍鬼)는 모든 버프와 중첩되는 공격 속도 50% 증가가 상시 유지된다.

위저드 계열 희귀 클래스 파이로맨서는 화염 데미지 50%가 붙고, 궁수 계열은 원거리 데미지 50% 증가나 사거리 50% 증가 버프가 붙는다.

버프의 차이는 막대하다.

아무 조건 없이 공격 속도 50%가 증가된다니 이게 말이 되는가? 최고의 만족도를 가지고 있던 고급 클래스가 단박에 별것 아닌 잡것으로 보일 정도다.

"그리고 영웅 클래스는……."

나는 영웅 클래스 중 하나를 확인했다.

[베리언트 레인저(영웅)]

근력+80 민첩+160 체력+80 생명력+40 마나+40

[사거리 50% 증가]

[어둠의 관측자]

"어디 보자…… 스텟 총합 400포인트에 직업 버프. 그리고 직업 특성이 생기네."

그리고 그 직업 특성은…….

[어둠의 관측자]

1분 이상 관측되지 않을 시 코스트 없는 중급 은신.

설명을 봤지만 감이 잘 오지 않는다. 별다른 코스트 없이 그저 1분 동안 관측되지 않는 것만으로 발동한다는 건 꽤 괜찮아 보이지만, 이 중급 은신이라는 게 정확히 어느 정도인지 알 수 없었기 때문이다.

"다른 직업을 봐야겠다."

나는 소드맨 계열 영웅 직업, 검왕(劍王)을 살폈다.

[검왕(영웅)]

근력+80 민첩+160 체력+80 생명력+40 마나+40

"검사 계열인데 주 스텟이 근력이 아니고 민첩이네?"

다시 보니 검귀 역시 주 스텟이 민첩이다. 소드맨 계열도 종류가 여러 가지고 하이랜더(양손 검사) 같은 직업들의 주 스텟이 근력. 아무래도 이 무협 느낌 나는 직업들은 민첩함을 강점으로 삼는 모양이다.

"대체 직업이 몇 개지?"

문득 드는 생각에 체다의 배를 도도도 두들긴다. 체다의 배가 비추고 있는 스크롤이 주르륵 내려간다.

내려가고.

내려간다.

"아니 미친."

어이가 없어 손을 멈춘다. 아직도 직업이 영웅이다. 전설 신화 클래스는 한참 더 내려야 나올 듯하다.

재빨리 검색창을 돌린다.

"아니 무슨…… 직업 숫자가 300개가 넘는다고? 심지어 계속 늘어나고 있다니……."

특히나 희귀와 영웅 직업이 미친 듯이 많다. 예를 들어 바바리안이라는 직업만 해도 파이어 바바리안, 어스 바바리안, 윈드 바바리안 이런 식으로 갈라지고, 레인저도 실버 레인저, 팬텀 레인저, 그랜드 레인저, 그랜드 어비스 레인저 등등 무수하게 많다.

내가 봤던 검사 계열도 매화검수, 청성무사, 무당검사 등등 무수하게 많다.

문제는 그 직업들끼리 그리 큰 차이가 없다는 거다.

"직업 버프하고 특성 조금씩 바꾸면서 막 찍어 낸 거잖아…… 심지어 다 똑같고 주 스텟이나 보조 스텟만 다른 직업도 있네…….”

결국 다시 검왕으로 돌아온다.

“어디 보자, 직업 버프는 검귀랑 똑같이 공격 속도 50% 상승. 그리고 특성은…… [고수의 간합]이로군.”

[고수의 간합(間合)]

치명타 시 [고수의 기세] 스택이 생성. 최대 20개까지 저장 가능. 유지 시간 30초.

[고수의 기세]

자가 버프, 근력, 민첩, 체력, 생명력 5포인트 상승.

“이런 미친…….”

할 말을 잃는다. 근력, 민첩, 체력, 생명력 전부가 5포인트씩 오르고 20개까지 쌓인다니?

그럼 각각 스텟이 100포인트. 총합 400포인트 상승한다는 말이 아닌가?

지금 내가 고급 클래스를 장착해 스텟 총합 200포인트 상승하고 이전과 완전히 다른 존재가 되었는데, 버프만으로 400포인트라니……

‘최대 스텟이 999고 스텟 중 하나만 900이 넘어도 신

화급 존재인데 이렇게 준다고?'

이건 개사기 정도가 아니다. 영웅이 이 정도라면 대체 전설급은 어느 정도란 말인가?

나는 홀린 듯 소드맨 계열 전설 직업을 살폈다.

그리고 발견했다.

[검성(劍星)(전설)]

근력+100 민첩+180 체력+100 생명력+60 마나+60

공격 속도 50% 증가.

[고수의 간합(間合)]

[천검(天劍)]

"전설 클래스로 들어가면 스텟 총합 500포인트 상승에…… 고유 스킬이 붙는군."

나는 고유 스킬 설명을 읽었다.

[천검(天劍)]

고수의 기세 스택을 최대치(20스택)까지 쌓을 경우 사용 가능. 두 가지 폼 중 하나를 선택하여 발동 가능하다.

[천검-백인참(百人斬)]

스킬 발동 후 적에게 데미지를 주는 데 성공하면 동일한 데미지를 주변에 있는 적(최대 100개체)에게 적용.

[천검-관월아(貫月牙)]
스킬 발동 시 1개체의 적에게 데미지 증폭 1000%(최종 데미지로 계산) 추가 적용. 방어, 회피, 반격 불가.

"……."

나는 체다의 배에서 시선을 떼고 덮밥을 퍼먹었다. 바삭하게 튀겨진 후 양념을 덮어쓴 돈가츠와 계란을 뒤집어쓴 밥알들이 중세 랜드에서는 꿈도 못 꿀 천상의 맛을 자랑하며 목구멍으로 넘어간다.

나는 미리 떠 놓은 물 한 컵을 마신 뒤 신음했다.

"개사기…… 미친 개사기 아냐?"

심지어 이 고수의 간합이라는 것은 아르데니아에서 더 심한 사기성을 보일 수 있다.

왜냐?

'내가 치명타를 무한으로 뽑아낼 수 있기 때문이지.'

아르데니아 대륙은 리벤지의 설정과 동일한 형태의 세상이고 실제로 게임 시스템까지 적용되었지만…….

그럼에도 그곳은 현실이다.

내가 스텟을 적용받은 것처럼 게임 시스템이 힘을 발휘하는 곳도 있지만 아닌 곳 역시 존재한다.

예를 들면 치명타, 명중, 회피 등이 그렇다.

리벤지에서 이 요소들은 들고 있는 무기, 캐릭터의 능

력치 등에 따른 [확률]이지만 아르데니아에서 내가 공격에 성공하면 명중된 것이고 피하면 회피 판정이다. 그리고 치명상을 가하면 그것이 바로 치명타.

지금까지 확인한 바로, 목을 베거나 머리를 때리거나 심장을 찌르면 무조건 치명타가 떴다. 그리고 공격을 쳐냈을 때에는 패링 판정이었지.

즉, 스택을 다 쌓은 다음 백인참으로 오크 목을 따게 된다면…….

일검에 주변에 있는 오크 전사 100마리의 목이 날아간다.

“체다. G-뱅크 1173-5511.”

“야옹!”

테이블에 앉아 있던 체다가 작게 울고는 고개를 나와 눈을 맞춘다. 홍채 확인.

할짝!

손을 내밀자 손가락을 핥는다. DNA 확인.

“야옹!”

다시 한번 울고 은행 계좌가 뜬다. 이사 후 이런저런 이유로 사용했기에 잔고는 3600만 원 정도.

그리 큰돈은 아니지만, 캐쉬 아이템 몇 개 사기에는 차고도 넘치는 돈이다.

“산다.”

결심했다.

나는 사고야 말 것이다.

전설 클래스. 검성을.

이것만 있다면…… 농담이 아니라 나 혼자서 오크 전사들을 쓸어버리고 다닐 수도 있을 것이다.

그리고 그러면 심지어 레벨도 오른다! 장비도 드랍될 것이다!

영지민들을 이끌고 굳이 도망갈 이유가 없어지는 것이다.

"알알! 알알!"

"아, 좀."

또다시 들리는 개 소리에 맞은편에서 덮밥을 먹고 있던 사내가 인상을 찡그린다.

"거기 아가씨!"

"앗, 네 죄송합……."

"전화 좀 받으세요. 계속 울리지 않습니까?"

"니다…… 네?"

"전화 받으시라구요."

소란에 고개를 돌렸다. 여인이 당황하며 말한다.

"아, 아니 써쓰는……."

"알알! 알알알!"

토이 푸들은 자신의 주인이 위협받는다고 생각했는지

사내를 향해 다가가 짖었다. 동시에 사내의 얼굴이 험악해진다.

"뭐 하는 겁니까? 이걸 저한테 보내다니…… 지금 위협하는 겁니까?"

웅!

사내의 오른손에 신성력이 모인다.

싸움이라도 나나 싶어 상황을 살피던 나는 쓴웃음을 지었다.

'그렇군. 뭔가 했더니 [정의의 신]을 모시는 신관이었어.'

지구에는 네 명의 신이 존재한다.

위대하고 위대하신 게임 마스터, 관대하.

그리고 각각의 영역을 관장하는 정의, 진실, 그리고 명예.

저기 저 사내는 그들 중 정의의 신을 모시는 신관인 모양이다.

"가벼운 벌칙을 부여하겠습니다! [하루 동안 폰 사용 금지]!"

신성력이 발동한다. 나는 혀를 찼다.

'정의신의 신관들은 하나같이 꼬장꼬장한 꼰대들이지. 재수가 없었군.'

나는 이능력자가 아니지만 이능력자가 되고 싶어서 발

버둥치던 시기가 있던 만큼 그 종류를 알아볼 수 있었다.

신성주문(神性呪文), 공공 예절.

문자 그대로 공공 예절을 해치는 자에게 벌을 주는 주문이다. 그리 심각한 건 아니고 저 아저씨의 말대로 하루 동안 휴대전화를 쓸 수 없게 되는 것.

문제는 저게 휴대전화, 그러니까 스마트 펫이 이 아니라는 것이다.

'아니, 작잖아. 토이 푸들이잖아. 스마트 펫은 기능 때문에 최소한 중형견 정도는 되어야 한다는 걸 모르나? 물론 펫 자체의 역할만 하면 가능하지만 그럼 전화가 아니지.'

정의신을 모시는 신관들이 주문을 쓰고 싶어 안달 난 인간들이라고는 들었지만 이 정도라니.

'막아야 하나?'

영능을 익히지 못한 생명체가 공격적인 신성력에 휘말리면 정신에 타격을 입는다. 상처야 없을 테고 당장이야 좀 시무룩해 보이는 게 전부겠지만 부작용이 있을 텐데.

그러나 그 순간.

"우리 써쓰는!"

팡!

"읏!?"

"우리 써쓰는 폰이 아니에요! 강아지거든요?!"

여인의 외침에 신성주문이 캔슬됐다. 그 느닷없는 상황에 신관이 신음을 흘렸다.

나는 놀라 여인을 바라보았다

'기합으로 신성주문을 깨……?'

말도 안 되는 일이다. 의지만으로 주문을 깬다는 건 의념으로 물리 세계에 영향을 줄 수 있다는 뜻이기 때문이다.

무공 수련자로 치면 의기상인의 경지다. 절정 고수. 바꿔 말하면 소드 마스터라는 소리!

'아니, 저 나이에 완성자급 고수라고?'

"흥! 써쓰야, 가자!"

"알알!"

"아! 써쓰가 시끄럽게 한 건 정말 죄송합니다……."

다른 사람들을 향해 꾸벅꾸벅 고개를 숙인 뒤 식당을 나간다.

나는 잠시 그 모습을 보다 자리에서 일어났다.

"후후."

웃음이 나온다. 왜냐하면 저 젊은 나이의 마스터를 보고도 평생 느끼던 열등감이 조금도 들지 않았기 때문이다.

예전, 그러니까 20년 전 이런 광경을 봤으면 열등감이 폭발해 일주일은 정신 못 차렸을 텐데.

'너 마스터야? 난 전설 직업 낄 거야. 쩔어 주는 검성이 될 거라고!'

히죽거리며 덮밥 집을 나선다. 테이블 위에 앉아 있던 체다가 소리 없이 내 뒤를 따른다.

철컥.

방으로 돌아온다.

[레벨 업!]

때마침 자동 사냥을 돌려 놓은 PC의 캐릭터가 레벨 업을 하는 모습이 보인다.

캐릭터의 직업은 궁수(일반)이며 별다른 스킬도 없지만 레벨은 벌써 29레벨. 내 캐릭터보다도 높은데 사실 당연한 일이다.

'화살하고 포션만 잔뜩 주면 24시간 내내 사냥만 하니…….'

"나도 자동 사냥이 되면 좋을 텐데."

그러나 아쉽게도 그런 건 없다. 아니 있어도 문제이리라.

저렇게 [너 한 대 나 한 대] 식의 무식한 방식으로 싸우면 오크 10마리도 못 잡고 내가 죽고 말겠지.

"하긴 지금 중요한 건 자동 사냥이 아니지!"

나는 체다의 배를 두들겨 100만 원치 다이아를 샀다.

원래 1만 다이아여야 하지만 100다이아 최초 구매, 500다이아 최초 구매, 1000다이아 최초 구매, 5000다이아 최초 구매. 연 5회 특별 구매, 월 5회 특별 구매, 일 5회 특별 구매의 힘으로 그보다는 훨씬 많았다.

"일단 확인 먼저."

나는 아르데니아로 로그인해 리벤지의 캐릭터 [킬리언스]의 아처(일반)를 아르데니아로 꺼내려 했다.

그러나 불가능!

의아해하며 리벤지에서 파기 버튼을 눌러 보았다.

[해당 직업은 이미 컬렉션에 등록되어 파기할 수 없습니다.]

"아."

직접 집어넣어야 하는 아이템 컬렉션과 다르게 클래스 컬렉션은 카드를 까는 순간 자동으로 등록되는 모양.

"그럼 pc로 까면 안 되겠네. 로그인!"

아르데니아로 돌아온다.

그리고 그대로 동쪽으로 전력 질주를 시작했다.

흔적을 숨기지 않는다. 쫓아오라고 도발하듯 땅을 쾅쾅 힘 있게 밟아 뛴다.

"헉! 헉! 헉헉헉!"

체력과 근력이 늘어났음에도 전력 질주를 20분쯤 이어 나가자 호흡이 가빠진다.

나는 발걸음을 멈추고 커다란 바위에 몸을 기댔다.

[구매하시겠습니까?]
[YES]

리벤지의 캐시숍에서 카드팩을 구입한 후 아르데니아에서 팩째로 꺼낸다.
아르데니아에도 캐시숍이 있지만.
"아쉽게도 이곳엔 유료 재화인 다이아가 없지. 경매장도 있는데 다이아가 없으니 문자 그대로 아무 의미가 없네."
경매장에 물건을 올리는 수수료는 골드라 올릴 수 있지만 구매 재화인 다이아가 없으니 살 수가 없는 상황.
촤릉!
카드를 까자 한순간 장난스러운 표정의 여신상이 보이더니 10장의 카드가 하늘로 솟구쳤다가 10개의 무기로 변해 눈앞에 떨어진다.
순간 이 광경이 제3자의 눈에 보일지 안 보일지 궁금해졌지만, 당장 중요한 문제는 아니다.

소드맨(일반), 워리어(일반), 소드맨(일반), 어쌔신(일반)……

번쩍!

하이 클래릭(고급)!

"흠."

실망스러운 결과에 인상이 찡그려졌지만 이내 마음을 다잡는다.

"일반이 90%고 고급 9%. 희귀가 0.9%에 영웅 0.1%야. 바로 뜨면 그게 이상한 거지."

워록(일반), 클래릭(일반), 아처(일반), 헌터(일반)……

번쩍!

쉐도우 워록(고급)!

"다시!"

"다시!"

뽑고 뽑고 또 뽑는다.

그리고 그 결과.

워록(일반), 클래릭(일반), 아처(일반), 헌터(일반)……

"아니 올 일반이네!"

희귀 하나 없이 100만 원이 날아갔다.

“아니, 무슨 게임이…… 100만 원이나 쏟아 부었는데…….”

이게 그냥 게임이었으면 벌써 침 뱉고 게임을 삭제했겠지만 그럴 수 없는 상황.

불행 중 다행으로 얻는 게 전혀 없지는 않았다.

컬렉션 완성!

근접 전사(소드맨, 워리어, 실더) 근력+1

날렵한(어쌔신, 아처, 헌터) 민첩+1

지혜로운(위저드, 클래릭, 워록) 마나력+1

모험의 시작(소드맨, 워리어, 실더, 어쌔신, 아처, 헌터, 위저드, 클래릭, 워록) 생명력+5

……외 3종.

컬렉션.

확실히 하나하나는 별거 없지만 이것들은 무슨 직업을 하든 적용되기에 쌓이고 쌓이면 효과가 만만찮을 것으로 보인다.

“투자를 더 해야겠다. 로그아웃.”

지구로 돌아온다.

그리고 과감하게 1000만 원을 질렀다.

“그래…… 그래, 이득이야. 어디에서 이런 영능을 이 가격에 얻겠어? 게다가 5만 다이아 최초 결제까지! 로그인!”

바로 다시 카드깡을 시작한다.

실더(일반), 어쌔신(일반), 아처(일반), 위저드(일반)…… 번쩍! 아이언 실더(고급)!

헌터(일반), 아처(일반), 위저드(일반), 클래릭(일반)…… 번쩍! 하이 실더(고급)!

팟!

불현듯 하늘로 날아올랐던 카드 한 장이 푸르게 빛난다.

"오? 오오오?"

심상치 않은 분위기에 땅에 박힌 검을 뽑아 든다.

"검귀!"

아니다.

바바리안(희귀)이었다.

"아……."

할 말을 잃는다.

"그러고 보니 첫 희귀잖아?! 이게 말이 돼? 0.9퍼센트잖아! 100장 중 1장 나와야 하는 거 아닌가? 지금 1000장도 더 긁었는데! 조작 아냐?"

말이 안 되는 일이다. 확률적으로 이럴 수가 있나!

몰아치는 분노에 부르르 떨었지만 내 나이도 어느덧 43살. 아르데니아에서는 나이를 먹지 않아 외모는 예전 그대로지만 세월에 쌓인 연륜이 분노를 가라앉힌다.

"그래…… 결국 확률이야. 무수히 시도하면 결국 확률대로 흘러갈 것이다."

차릉!

실더(일반), 어쌔신(일반), 아처(일반), 헌터(일반)…… 번쩍! 아이언 실더(고급)!

어쌔신(일반), 위저드(일반), 어쌔신(일반), 클래릭(일반)……

차릉!

어쌔신(일반), 어쌔신(일반), 아처(일반), 어쌔신(일반)…… 번쩍! 하이 아처(고급)!

헌터(일반), 헌터(일반), 헌터(일반), 클래릭(일반)…… 번쩍! 쉐도우 아처(고급)!

"아니…… 제기랄! 이게 말이 되냐고!"

분노하는 순간이었다.

번쩍!

항상 장난스러운 미소로 스쳐 지나가던 여신상이 깜짝 놀란 듯 미소를 지운다.

그리고…….

구구구……!

바닥에 박힌 검이 황금빛으로 빛난다.

"오……."

내가 손을 뻗어 그것을 뽑자…….

—황실에 충성하고 제국의 방패로써 목숨을 바쳐라!—

그럴싸한 문구가 떠오른다. 나는 즉시 직업을 확인했다.

[임페리얼 나이트(영웅)]
근력+80 민첩+40 체력+80 생명력+160 마나+40
[받는 피해 50% 감소]
[불굴]

"아앗……."
탱커.
검이기에 기대했는데 탱커다. 무, 물론 영웅이 나온 건 좋은 일이다만…….
안타까워하면서도 키핑했다. 탱커긴 해도 주 무기는 검이니 쓸 수 있을 거라고 기대되었다.
물꼬가 트였기 때문일까? 계속 긁자 영웅이 뜨기 시작한다.

글래디에이터(희귀), 소드 댄서(희귀), 템플러(희귀),

스나이퍼(희귀), 실버 레인저(희귀)……

희귀와, 영웅이 뜨기 시작한다.

-베리언트 산맥 어둠의 숲에는 모습조차 드러내지 않은 채 연맹의 적을 제거하는 레인저들에 대한 소문이 있다.-

[베리언트 레인저(영웅)]

-수많은 연구 끝에 대연금술사 헬라인은 화약의 개량에 성공해 강력한 병기 머스킷(musket)을 만드는 데 성공. 그것을 다루는 최고의 엘리트들에게 머스킷티어(Musketeer)라는 이름을 붙였다.-

[머스킷티어(영웅)]

컬렉션 완성!

기사의 이름으로(도펠젤트너, 듀얼리스트, 가디언, 센티넬, 랜스 나이트) 근력+2

그림자의 선택을 받은 자(쉐도우 헌터, 쉐도우 나이트, 쉐도우 아처, 베리언트 레인저) 은신 보정+10%

검의 길(검사, 검귀, 하이 워리어, 하이랜더, 듀얼리스트) 근접 공격력+1%

……외 35종.

뽑는다. 뽑는다. 또 뽑는다. 수천 장의 클래스 소환권이 하늘로 던져진다.

클래스 소환권의 가격이 장당 100다이아, 즉, 만 원이니 1100만 원이면 클래스 소환권은 1100장이어야 하지만 최초 결제, 특수 결제, 이벤트 결제 등 이런저런 혜택으로 클래스 소환권의 수는 훨씬 많다.

그리고 그 결과는 이러하다.

영웅급 클래스 2장, 희귀급 클래스 24장, 고급 클래스 340장, 나머지는 일반 클래스.

"썩…… 좋은 확률은 아니지만 1000장까지보다는 훨씬 낫네. 역시 많이 뽑다 보면 결국 확률대로 가는 거야."

당연하지만 이대로 끝이 아니다. 이 수천 장의 카드들이 그냥 다 버리는 용도일 리 있겠는가?

무엇보다 일반 클래스 뽑기에는 전설 클래스는 있지도 않다!

결국 내가 해야 할 일은 뻔했다.

"클래스 합성…… 간다!"

클래스 합성이란 컬렉션에 등록되고 또다시 뽑게 된 동일 클래스 카드 4장을 합쳐 상위 카드를 얻어 내는 콘텐츠이다.

당연한 말이지만 확정은 아니다.

리벤지는 가능한 모든 요소에 확률을 쑤셔 넣고야 마는 도박 게임이니까!

합성 완료! [아처(일반)] 합성 완료! [소드맨(일반)] 합성 완료! [클래릭(일반)] 합성 완료……

40장의 일반 클래스를 합성하자 4장의 고급 클래스와 6장의 일반 클래스가 나온다. 다시 6장 중 4장을 합성해 일반 클래스가 나왔다.

이 과정을 반복한다. 결과만 말하자면 250장의 고급 카드가 생겨났다.

"이제 영웅 2장, 희귀 24장, 고급 590장, 일반 3장인가."

580장의 고급 클래스 중 컬렉션에 등록된 27장을 제외한 553장을 합성한다.

합성 완료! [하이 소드맨(고급)] 합성 완료! [블러디 워리어(고급)] 합성 완료! [하이 워록(고급)]……

합성 완료! [스나이퍼(희귀)] 합성 완료! [팬텀 레인저(희귀)] 합성 완료! [드루이드(희귀)]……

수천 장의 클래스 카드들이 점점 압축된다.

"이제 영웅 2장, 희귀 58장, 고급 2장, 일반 3장…… 아니, 그런데 희귀 58장 중에 컬렉션에 30장이나 들어가잖아?!"

이 정신 나간 희귀 클래스는 쓸데없이 숫자가 많다.

'아니 정확히 말하면 희귀 클래스까지는 숫자가 늘어나기만 하는군. 일반 클래스가 9개, 고급이 27장이니까 클래스가 분화된다고 해야 하나.'

희귀 컬렉션에 카드를 32장이나 넣었지만 내가 채운 희귀 클래스가 5분의 1도 안 될 정도니 더 말해 무엇 하겠는가? 심지어 희귀 클래스는 업데이트할 때마다 몇 개씩 생기는 상황이다.

"그렇게 치면 오히려 클래스 중첩이 28장이나 되어 주어서 고맙다고 해야 하나……."

중얼거리며 합성을 이어 나간다.

합성 완료! [오라클(영웅)] 합성 완료! [팔라딘(영웅)] 합성 완료! [인퀴지터(영웅)] 합성 완료! [캐노니어(영웅)]

이번에는 운이 좋았다. 희귀 클래스가 28장으로 합성을 7회밖에 시도하지 못했는데 영웅 클래스가 무려 4개나 나온 것!

"좋아! 이것으로 합성을……."

컬렉션 완성!

화약의 힘(캐노니어, 머스켓티어) 탄약 최대치+1

신의 이름으로(오라클, 팔라딘, 인퀴지터) 언데드 추가 데미지 5% 상승.

"합성을…… 할 수 없네?"

그렇다. 할 수 없다.

다 컬렉션에 등록되었다.

"이런."

클래스가 컬렉션에 들어간다고 어디로 사라지는 건 아니지만 당장 합성으로 전설을 만들어야 하는 입장에서는 안타까운 일이다.

"아, 왜 등록된 건 합성 못 하냐고!"

어차피 직업은 제일 좋은 것 하나만 있으면 되는 거 아닌가? 내가 합성한다는데 막다니!

애초에 전설 직업이 있는데 일반, 고급, 희귀 클래스로 누가 클래스 체인지를 한단 말인가? 이건 그냥 장삿속이 아닌가!

투덜거리며 추가로 과금한다.

뽑는다.

또 뽑고.

합성해 상위 클래스로 업그레이드한다.

그리고 마침내…… 영웅 클래스도 쌓이기 시작한다. 컬렉션이 어느 정도 완성되자 중첩 클래스가 많아져 가능한 일이다.

쿠구궁!

영웅 카드 네 장을 합성하자 여신상이 놀라는 표정을 짓는다.

뽑기 때 여신이 저 표정을 지었다면 탄성을 내질렀겠지만 지금의 나는 눈썹 하나 까딱하지 않는다. 영웅 카드 네 장을 합성했으니 결과물은 무조건 영웅 이상이다. 결과물이 영웅이면 꽝. 영웅 네 장이 1장이 된다.

"제발 전설! 제발 검성!"

기도하는 내 앞으로 금빛으로 빛나는 검이 내려와 박힌다.

"검! 떴다!"

나는 검을 잡아 뽑았다. 그리고 그러자!

-황실에 충성하고 제국의 방패로써 목숨을 바쳐라!-

어디선가 본 문구가 떠오른다.

"아……."

잠시 돌처럼 굳어서 한참을 그렇게 서 있었다. 손에 들었던 검이 먼지가 되어 사라지고 한 줄의 텍스트만 남는다.

[임페리얼 나이트(영웅)].

"……시발."
바위에 기대 욕을 내뱉는다. 그리고 그때였다.
"저기 있다!"
"인간 놈이 저기 있다!"
"잡아라! 잡아 죽여라!"
"오~~로로로로!"
내 흔적을 따라온 오크들이 산 저편에서부터 미친 듯 달려오고 있다. 간신히 따라잡은 내가 다시 도망이라도 칠까 전력을 다한 달음박질.
"……그래. 기분 엿 같았는데 타이밍 참 잘 잡았다."
슬쩍 눈을 감아 클래스창을 확인한다. 눈을 떠도 시야 한편에 보이지만 눈을 감지 않으면 제대로 내용을 확인하기 어렵기 때문이다.
그리고 클래스 내역을 보니 한숨이 절로 나온다.
'아. 전설 클래스 검성이 안 나온 것만 해도 빡치는데.'
이제는 10개도 넘는 영웅 클래스가 컬렉션에 등록되어 있음에도 검왕이 없다. 아니, 그 정도가 아니라 소드맨 계열이 거의 없었다.

'베리언트 레인저(영웅)는 효율이 너무 떨어지고. 머스킷티어(영웅)는 애초에 장비를 구할 길도 없네. 마인드패스파인더(영웅)는 당연히 상황에 안 맞고 오라클(영웅)도 의미 없다.'

사실 소드맨 계열이 아예 없는 것은 아니지만, 문제가 있었다.

"이게…… 되려나?"

★☆전직 완료☆★

[듀얼리스트(영웅)]

근력+80 민첩+160 체력+80 생명력+40 마나+40

공격속도 50% 증가.

[아따끄 오 페르].

"드디어! 잡는다!"

이제는 제법 근접한 위치까지 달려온 오크들을 잠시 바라보다 특성을 확인한다.

지들이 알아서 온다는데 굳이 달려갈 이유가 없다.

[아따끄 오 페르].

패링 성공 시 공격 속도 10% 증가, 10중첩 가능, 유지

시간 30초.

"심플하네. [고수의 간합]만큼은 아니어도 괜찮아 보여."

그러나 문제는 듀얼리스트는 펜서 계열이며 펜서의 주장비는 일반적인 검과 다르다는 것. 나는 시작의 검을 가볍게 휘둘러 보았다.

"일단 다른 무기 쓰는 데에는 문제가 없는 듯하고."

리벤지에서 클래스를 장착하면 클래스 전용 무기를 제외한 어떤 무기도 장착할 수 없다. 소드맨이라면 활을 들 수도 없고 아처라면 검을 들 수조차 없어야 하는 것.

'하지만 리벤지의 모든 시스템이 강제되는 건 아니다.'

몬스터들이 리젠 지역에서 맘대로 벗어나고 치명타 확률과 상관없이 치명타를 때리면 치명타가 터지듯, 장비 제한 역시 아르데니아에서 제대로 힘을 쓰지 못한다.

문제는 특성.

흔히 말하는 펜싱용 칼을 들어야 하는 클래스 특성이 장검을 들고 있어도 적용될까?

"크라앗!"

가장 먼저 도착한 오크 녀석이 기합을 내지르며 도끼를 휘두른다. 나는 시작의 검을 잡고 몸을 일으켰다.

팟!

가볍게 피해 낸다. 그리고 황급히 들리는 도끼를 시작

의 검으로 쳐 내고 목을 친다.

[치명타!]

패링이 터지지 않는다.
'이 정도면 충분히 아따끄 오 페르(Attaque Au Fer. 무기 공격)라 할 수 있을 것 같은데. 롱 소드라서 안 되는 건가?'
그러나 특성 설명을 잘 보니 좀 다른 문제 같기도 하다.
'자세를 무너트리지 못해서 그럴지도. 다시 해 봐야겠다.'
"인간! 죽어랏!"
깡!
"큭!"

[패링 성공!]

휘둘러지는 도끼를 강하게 쳐서 자세를 무너트리자 무형의 기운이 몸에 깃드는 것이 느껴진다.
이미 직업 효과로 가속되어 있던 육신이 더욱 가속해 땅을 박차고 뛰었다.
"좋아! 되는군!"

[치명타!]

목을 긋고 지나간다. 그리고 그런 나에게 다시 도끼가 떨어진다.

깡!

[패링 성공!]

허공에 뜬 채 휘릭 몸을 회전한다. 추가로 떨어지는 도끼가 보인다.

깡!

[패링 성공!] [치명타!]

'아, 텍스트가 시야를 가리네. 나중에 설정을 건드려서라도 없애야겠다.'

그렇게 생각하며 검을 휘두른다. 온몸을 날려 나를 붙잡으려 하는 오크의 목이 쩍 하고 갈라진다.

[치명타!]

탁.

땅에 내려선다.

촤아아아악!

털썩! 털썩! 털썩! 털썩!

동시에 네 명의 오크 전사가 목에서 피를 뿜으며 쓰러진다.

"오로로…… 오?"

"크륵! 멈춰! 한 명씩 덤비지 마라!"

너무 삽시간에 동료들이 살해당하자 눈이 뒤집혀서 달려들던 오크 전사들마저 깜짝 놀라 발을 멈춘다.

나는 그들과 마주 선 채 놀라고 있었다.

"와…… 이게 뭐지?"

바닥에 구르는 오크의 머리통들은 그리 신기한 일이 아니다. 나는 이미 저 오크 전사 놈들의 모가지를 몇 번이나 따 왔으니까.

문제는 모가지를 따느라 걸리는 시간과 따면서 느껴진 감각이다.

"이렇게나 가볍다니. 사과를 잘라도 이것보다는 무거울 텐데."

"인간! 감히 인간 놈이 우리 형제들을…… 컥!"

[치명타!]

목이 잘린 덩치가 바닥을 구른다. 적의 공격을 피하고,

일격에 전신의 무게를 집중해 목을 쳐야 하던 지금까지와는 다르다.

상체의 회전조차 없이 그저 팔의 힘만으로 휘두르는 검에 두꺼운 목이 깔끔히 잘려 나간다.

오크 전사 놈들이 화살도 잘 안 박히는 괴물들이라는 걸 생각해 보면 그야말로 기가 막히는 일이다.

"영웅 클래스가 좋아도 이 정도는 아닐 텐데."

[패링 성공!] [치명타!]

[패링 성공!] [치명타!]

날 추적하기 위해 몇 킬로미터나 되는 거리를 뛰어온, 그래서 달리기 속도대로 죽 늘어서 있는 오크 전사들의 공격을, 목을, 팔다리를 쳐 낸다.

호흡을 고르고 온몸의 근력을 쥐어짜고 적의 빈틈을, 방심을, 무게중심과 근육의 흐름을 읽어야 했던 지금까지와는 전혀 다르다.

[레벨 업!]

[20레벨->21레벨!]

[보너스 포인트 10포인트 추가!]

"쉽다! 너무 쉬워! 이놈들 이렇게까지 약했나?"

온몸이 터져 버릴 듯 끓어오르는 근력이 느껴진다. 온몸에 휘돌릴 수 있을 정도의 충만한 내공이 느껴진다. 칼날처럼 날카로운 감각, 지치지 않는 체력이 느껴진다.

슬쩍 시선을 돌리자 시야의 한편에 텍스트가 떠올라 있다.

☆컬렉션 효과☆

근접 공격력 5% 증가, 원거리 공격력 6% 증가, 마법 공격력 5% 증가, 모든 공격력 1% 증가, 언데드 추가 데미지 5% 상승.

근력 16 증가, 민첩 17 증가, 체력 19 증가, 생명력 16 증가, 마나 25 증가, 마나력 21 증가, 항마력 11 증가, 회복력 11 증가, 마나 회복력 8 증가.

모든 데미지 감소 3%.

은신 보정+10%, 사거리 증가 2%, 탄약 최대치+1

인벤토리 중량 24킬로그램 증가, 인벤토리 숫자 4개 증가.

"효과가…… 상당하다."

하나하나가 워낙 미묘한 효과를 가지고 있어 눈여겨보지 않았는데 그게 쌓이고 보니 정말 장난이 아니다.

쿵!

마지막 오크 전사가 쓰러지고 숲이 침묵에 잠긴다. 이 오크 놈들은 어찌나 투쟁심이 강한지 내 손에 동족들이 줄줄이 죽어 나가도 도망칠 생각을 안 했다.

"강해졌네."

내 경지가 오른 것은 아니다.

예전에도 지금도 무공 수련자로서 내 경지는 입문자에 불과하다. 아르데니아식으로 말하자면 소드 유저 최하급.

'로우 파워 세계관인 아르데니아에서야 이 정도로도 기사 행세를 할 수 있었지.'

문제는 경지가 오르지 않았음에도 내 전투 능력이 과거의 나와 비교조차 할 수 없이 상승했다는 것이다.

클래스, 그리고 컬렉션의 추가 스텟은 나에게 상상을 초월하는 힘을 부여하고 있다.

"이 정도면…… 농담이 아니라 경찰하고 싸워도 이기겠는데? 팔다리 좀 부러지고 다치기야 하겠지만."

중요한 건 플레이어로서의 나는 이제 고작 시작에 불과하다는 점이다. 전설 클래스를 얻고, 컬렉션을 완성하고, 스킬들을 배우고 수호령과 펫까지 얻게 된다면 과연 어떻게 될 것인가?

"어쩌면."

어쩌면 나는…… 기가스에 탑승한 전투 경찰조차 이길 수 있을지 모른다.

그것도 맨몸으로!

"하하! 하하하! 하하하하하!"

미칠 듯한 흥분에 온몸이 떨린다.

"로그아웃!"

즉시 지구로 돌아온 나는 다이아를 결제해 클래스 뽑기를 시작했다.

"전설 클래스 간다!"

이제 망설임 따위는 없다! 중첩되지 않은 클래스들이 버려지는 게 아니라 컬렉션이 되어 스텟의 상승을 불러온다는 것을 알았기 때문이다.

이득이다.

하여튼 이득이다!

"간다!"

촤릉!

"간다!"

촤릉!

"가즈아아아아……!"

홀린 듯 과금하고 뽑기를 진행한다. 클래스를 합성하고 다시 과금한다.

그리고 어느 순간!

[결제에 실패하셨습니다.]

"아니, 이 등신 같은 게임! 영웅도 드럽게 안 나오면서 실패는 또 뭐야? 지금 완전 타이밍인데!"

분노해 로그아웃. 지구로 돌아간다. 그리고 문의 사항에 문의를 넣으려다 무심코 고개를 돌린다.

그리고 보았다.

체다의 배에 떠 있는 계좌 정보를.

–현재 잔액.

84,564원.

"8만…… 4천…… 5백 원……?"

3년 군 생활 동안 모았던 8천만 원의 흔적은 어디에도 없다. 결제 실패는 계좌 잔액이 클래스 소환권 10장도 구매할 수 없을 정도로 적기에 벌어진 사건이다.

"아."

2089년 8월 5일.

나는 당장 요번 달 끼니를 걱정해야 하는 빈털터리가 되었으며.

전설 클래스는 나오지 아니하였다.

chapter2.

무과금 겜생

chapter2.
무과금 겜생

게임 능력을 현실에서 쓸 수 있다는 사실에 기뻐 잊고 있었지만, 그럼에도 나는 알고 있었다.

리벤지는.

쓰레기 같은 게임이다.

'만약 내게 적용된 게임이 다른 종류였다면 어땠을까?'

50년 동안 34지구 최고의 인기 게임으로 군림했고 시간이 지났음에도 명작으로 인정받고 있는 〈리얼 스테이지〉, 고위 능력자들이 가득하다는 실력 겜 〈블래이드&매직〉, 기가스 조종사들의 필수 코스라는 〈대전쟁4〉. 등장한 지 1년 만에 게임방 점유율을 모조리 잡아먹고 있는 〈엠퍼러 퀘스트〉 등등.

그런 게임의 시스템이 내게 적용되었다면 내가 해야 할

일은 간단하다.

그저, 그 게임을 열심히 하면 된다. 공략을 익히고 시스템을 연구해 레벨을 올리고 아이템을 파밍해 아르데니아로 보내는 것이다.

나는 그저 숙련도를 올리는 것만으로 스킬을 획득했을 것이고 던전을 클리어하는 것으로 전설 장비들을 획득했을 터였다. 뿐만 아니라 특정 조건을 달성해 전직하고 퀘스트를 달성해 특별한 보상을 획득했을 것이다.

그러나 리벤지는 어떠한가?

직업? 돈을 주고 사야 한다.

장비? 어느 선까지는 파밍으로 해결하지만 위로 가려면 돈을 쓸 수밖에 없다.

레벨? 돈을 주고 사야 하는 은총이 아니면 올릴 엄두조차 낼 수 없다.

스킬? 역시나 돈을 주고 사야 한다!

"아니 미친 게임이네, 이거."

다른 걸 다 떠나서 스킬도 돈 주고 사야 하는 건 진짜 제정신인가 싶다. 인게임 재화인 골드로 살 수 있는 스킬은 일반이나 고급 등급뿐이고(그마저도 엄청 비싸다)희귀 이상의 스킬은 스킬 랜덤 박스를 구매해야 한다.

누군가는 '몬스터에게서 드랍되는 아이템을 파밍하면 되지 않느냐?'라고 묻겠지만 그 드랍률이 어떤 수준이냐가 문제다.

리벤지의 드랍률이 어떠하냐면.

[악어 늪지에서 미취학아동님께서 심장 가르기(희귀)를 획득하셨습니다!]

희귀급 하나 얻었다고 월드 메시지로 스킬명과 함께 아이디가 뜬다! 게임을 플레이하는 모든 유저들이 볼 수 있는 전체 공지!

“악어 늪지면 남부 지대에 있는 곳이잖아…… 거의 대륙 반대편인데 그게 여기서도 보이네.”

아르데니아에서 20년이나 살아온 내가 모를 수 없는 곳이다. 거의 수십 킬로미터나 되는 무지막지한 범위의 습지로 마수 [두 발 악어]들이 서식하는 마경 중의 마경!

‘거리로 치면 족히 2000킬로미터는 떨어진 곳에서 벌어진 일인데 그걸 알려주다니.’

기막혀 했지만 사실 거리는 문제가 아니다. 영웅, 전설, 신화는 고사하고 고작 희귀급에서 월드 메시지가 뜬다는 것이 진짜 문제.

희귀급이 쉽게 얻을 수 있다면 어찌 월드 메시지로 알려주겠는가? 지금 이 순간에도 수십, 어쩌면 수백만이 넘는 플레이어들이 사냥을 하고 있을 텐데.

"인간적으로 희귀 정도는 일반 몬스터를 잡아도 막 쏟아져야 하는 거 아니냐? 게임이잖아, 게임!"

투덜거렸지만 이유 자체는 알고 있다.

리벤지는 장비 레벨도, 장비 제한도 없는 게임.

장비 레벨이 없고 오직 등급만 있기 때문에 장비의 가치가 잘 변하지 않는다.

10년 전의 1레벨 캐릭터가 운 좋게 전설 무기를 얻었다면, 농담이 아니라 그는 10년 내내 그 전설 장비를 계속 쓰게 될 것이다.

다른 게임들과 달리 리벤지의 등급은 정말 그 장비나 스킬 자체의 가치를 의미한다. 일반 무기는 일반 무기인 거고 희귀 무기는 정말로 희귀하게 나온다.

전설 무기는 문자 그대로 전설 속의 존재.

'10레벨 전설 무기보다 50레벨 일반 무기가 강한 그런 일은 있을 수가 없다는 말이지.'

농담이 아니라 몇 년을 이 게임에 쏟아 부어도 전설 무기를 못 드는 경우가 허다하다.

과금을 하지 않으면 24시간 동안 몇 년을 플레이해도 상위권에 진입할 수 없는 게임. 그게 바로 리벤지인 것이다.

그리고 이 과금만능주의 게임에서.

이제부터 난 무과금 플레이를 해야만 한다.

'하…… 전 재산을 꼬라박았는데. 거의 4천만 원을 부었는데 무과금이라니.'

그러나 과금으로 얻은 클래스들을 죄다 아르데니아로 보내 버렸으니 어쩔 수 없다.

'고객 센터에 연락해서 복구해 달라고 해 볼까?'

그런 생각이 언뜻 들었지만 위험한 일이다.

당장 나부터가 게임 시스템이 육신에 적용되는 이 현상이 어떤 원리인지 알지 못한다. 리벤지 개발자나 운영진이 지금 이 현상과 연관성이 있을지 없을지도 모를 상황에 함부로 움직였다가 이 능력을 잃어버리기라도 하면 어찌한단 말인가?

처음부터 없었다면 모르겠지만, 이런 세상을 알게 된 지금 모든 걸 잃어버리면 정말 난 목을 매달지도 모른다.

퍽! 퍽! 퍽! 창! 치잉!

꾸이익!

나는 모니터 안에서 부지런히 사냥하고 있는 아바타를 보았다. 스타터 패키지도 아르데니아로 보내 버렸기에 일반 등급 아처라는 직업에 컬렉션 또한 드랍으로 떨어지는 일반 등급 아이템들만 등록한 내 캐릭터. [킬리언스]는 극도로 약하다.

리벤지 안에서 그야말로 바닥에 깔린 천민 같은 존재.

이 캐릭터가 얼마나 약하냐면 24시간 풀로 10일째 게임을 돌렸음에도 여전히 [일반] 등급 몬스터를 사냥하고 있다.

[고급] 등급의 몬스터 존에서 사냥하면 오토로 사용되는 포션값이 감당이 안 되기 때문이다.

"레벨이 37이나 되는데 이거야 원."

심지어 높아질수록 필요 경험치가 천문학적으로 높아지는 리벤지의 레벨 시스템 때문에 레벨 업 속도가 가면 갈수록 끔찍하게 느려진다.

오늘은 24시간 내내 사냥을 돌렸는데도 경험치를 30%도 올리지 못했다. 그나마 레벨 업 시 주어지는 자유 스텟 포인트로 조금씩 강해지고 있었는데 그마저도 점점 힘들어지는 것이다.

즉 게임을 해도 해도.

전혀 성장하지 않는다!

"이게 게임이냐?"

그저 골드 조금씩 쌓는 보람으로 오토를 돌리는 셈이다. 그마저도 고급 스킬 하나 사기에 부족한 돈이지만 말이다.

띠링!

[인벤토리 중량이 50%를 초과했습니다!]

[인벤토리 중량이 50%를 초과하여 생명력과 마나가 자

연 치유되지 않습니다!]

화면에 떠오르는 텍스트를 보고 PC 앞에 앉았다. 내게 배를 두들겨지고 있던 체다 역시 침대에서 내려와 의자 옆에 주저앉는다.

"다 찼네."

내 캐릭터는 스타팅 서쪽에 위치한 [바람막이 고원]에서 [고원 멧돼지(일반)]를 사냥하고 있다. 대충 15초에 1마리를 사냥하니 1분에 4마리, 1시간에 240마리를 사냥하는 셈이다.

'고원 멧돼지의 드랍 테이블은…….'

홈페이지를 켜 몬스터 정보를 확인한다.

[고원 멧돼지(일반) 드랍 아이템]

일반 클래스 소환권(등급 없음), 뼈 단검(일반). 뼈 장검(일반), 가죽 방패(일반).

멧돼지 뒷다리(재료), 멧돼지 가죽(재료), 멧돼지 어금니(상점 판매), 골드.

"장비는 단검, 검, 방패 이렇게 세 개고 나머지는 고기랑 가죽인가."

고급 아이템 하나 없을 정도로 초라한 드랍 테이블.

물론 그 안에는 클래스 소환권이 있지만 거들떠도 안 본다. 여기에서 멧돼지만 200시간 넘게 잡고 있음에도 구경조차 못했기 때문이다.

심지어 남이 먹는 것도 못 봤다. 주위에 있는 다른 캐릭터들도 거의 무한대로 사냥을 하고 있음에도 그렇다.

"비우기 전에."

나는 사냥터를 돌아다니면서 다른 캐릭터들 옆에 떨어져 있는 아이템들을 회수했다.

뼈 단검(일반)을 획득했습니다!

가죽 방패(일반)를 획득했습니다!

멧돼지 뒷다리(재료)X12개를 획득했습니다!

뼈 장검을……

리벤지에서 아이템이 드랍되면 1분 동안은 소유권이 유지되지만 그 이상 시간이 지나면 누구나 주울 수 있게 되고 10분이 지나면 소멸되어 버린다.

내가 아이템을 주워 가도 다른 플레이어들은 신경 쓰지 않는다. 애초에 바닥에 이렇게 아이템이 쌓여 있는 이유가 무엇이겠는가? 그들이 옵션에서 그것들을 줍지 않게 설정했기 때문이다. 인벤토리 중량을 채울 가치조차 없다고 판단한 것이다.

'하기야 여기는 가죽 노가다를 하러 오는 곳이니 나머지는 다 무거운 쓰레기일 뿐이지.'

리벤지에는 제작 콘텐츠라는 게 있고 그중에서도 가죽은 꽤 많이 쓰이는 소재다.

물론 고원 멧돼지가 주는 가죽의 등급은 하급에 불과하지만 하급 가죽 10개와 1000골드를 소모해 조합하면 중급 가죽을 얻을 수 있고, 마찬가지로 상급, 최상급 가죽까지 올릴 수 있기 때문에 일반 사냥터임에도 오토를 돌리는 사람들이 많다.

'다행이야. 버려지는 게 가죽이 아니라 고기라서.'

멧돼지 뒷다리는 요리 콘텐츠에 들어가는 물건이지만 가죽과는 취급이 전혀 다르다.

가죽과 달리 멧돼지 뒷다리는 그냥 고유한 요리 재료라 상위 고기로 업그레이드할 수 없다.

요리로 만들 수는 있겠지만 한번 먹으면 적어도 1시간은 유지되는 요리 버프를 이런 최하급 음식으로 채우는 사람이 어디 있겠는가?

플레이어들에게 멧돼지 뒷다리는 인벤토리 중량을 늘리는 쓰레기에 불과하다.

[인벤토리 중량이 75%를 초과했습니다!]

[인벤토리 중량이 75%를 초과하여 이동 속도가 느려집

니다!]

[인벤토리 중량이 100%를 초과했습니다!]

[인벤토리 중량이 100%를 초과하여 이동 속도가 극도로 느려지고 체력, 생명력, 마나가 천천히 감소합니다!]

인벤토리가 가득 찰 때까지 바닥에 떨어진 아이템들을 챙긴다.

"좋아. 그럼 로그인."

말하는 순간.

나는 아르데니아에 있다.

"무사히 돌아오셨군요. 괜찮으십니까?"

영지민 무리를 따라잡자 영지민들을 이끌고 있던 기사가 내 쪽으로 다가온다.

녀석의 이름은 헌드레드 실버소드. 우리 영지에 둘밖에 없는 기사 중 하나다.

스틸스톤이 평민에서 산적, 용병, 기사로 복잡하게 전직해 온 것과 다르게, 녀석은 위명이 쟁쟁한 실버소드 백작가에서 태어나 15살에 기사가 된 엘리트 중의 엘리트이다.

'물론 그렇다고 무슨 권력이 있는 건 아니지.'

실버소드 백작가의 가주 일라인은 12남 19녀라는 무지막지한 수의 자식을 낳았고 헌드레드는 그중 스물다섯 번째 자식이다.

심지어 그의 모친은 백작을 지키던 여기사였기 때문에 실버소드 백작가를 이을 가능성은 0.1%도 없다.

'하기야 그러니 이런 변방으로 보내진 거겠지.'

나는 잡념을 떨치고 헌드레드에게 말했다.

"문제없다. 완전히 따돌렸고 거리도 한참 벌렸으니 더 이상 추격을 걱정할 필요는 없을 거야."

"대단하시군요. 그 괴물 같은 놈들을……."

상시 관리되어 반짝거리던 그의 자랑스러운 전신 갑주는 오크들과의 전투로 여기저기 찌그러져 있다. 하지만 그가 영지민들을 위해 오크들의 앞을 가로막은 것을 생각해 보면 저 정도 손상으로 그친 게 오히려 대단한 일이라 할 수 있으리라.

"징글징글한 놈들이긴 하지. 그보다 저녁이나 먹지."

"앗! 네. 알겠습니다, 영주님. 자! 저녁 시간이다!"

"저녁 시간이다! 영주님 오셨다!"

"불 피워! 냄비 올려!"

"밥 먹자!"

힘들게 산길을 걷고 있던 영지민들이 기뻐하며 자리를 만들기 시작한다. 나무가 그득그득한 숲속이었기에 땔감 걱정은 없다. 물론 걱정이 없는 건 땔감뿐이고 1000명이나 되는 영지민들을 먹일 식량이 문제였지만.

"차례대로 받아 가라!"

"넵! 줄 서서 받아가! 바로 굽기 시작해!"

지금 이곳에는 무한의 멧돼지 뒷다리가 있다!

나는 리벤지의 인벤토리에 손을 넣어 잡히는 대로 뒷다리를 꺼내 던졌다.

"와! 이거 봐! 뒷다리 다시 봐도 엄청 크다."

"근데 대체 이만한 수의 멧돼지가 어디 있어서 잡아 오신 거지?"

"게다가 죄다 오른쪽 뒷다리야. 다른 다리하고 몸통은 어디 있고 오른쪽 뒷다리만……."

영지민들은 벌써 몇 번씩 벌어진 기사에 의아해했지만 순순히 뒷다리들을 받아 가서 굽거나 끓이는 식으로 조리를 시작했다.

삶의 터전을 잃고 피난을 가야 하는 최악의 상황이었지만 적어도 먹거리는 충분해 분위기가 그리 나쁘지 않았다.

"그리고 이것도 받아."

나는 미리 한쪽에 모아 놓았던 영지민들에게 멧돼지 가죽 수십 장을 넘겼다.

아직 여름이지만 내 영지는 기본적으로 북방에 위치했고 우리는 거기에서도 더 위로 올라가는 중이다.

얼어 죽기 싫으면 충분한 방한 대책이 필요하다.

"영주님."

그리고 그 모습을 보고 있던 헌드레드가 입을 연다.

"무슨 일이냐?"

"이런 걸 여쭤볼 상황이 아니라는 걸 알지만…… 대체 이 가죽들은 뭡니까? 무두질까지 완벽히 끝나 있는 멧돼지 가죽이라니."

"설명하기 어렵군. 세상이 이렇게 되면서…… 나한테 특별한 능력이 생겼다고 생각하면 된다. 멀리 있는 물건을 가져올 수 있지. 너도 오크 녀석들이 죽었을 때 물건들이 떨어지는 걸 봤겠지?"

현재 아르데니아에서는 누가 몬스터를 죽여도 아이템과 골드가 드랍된다.

여신의 가호(캐시 서비스, 경험치와 드랍률에 막대한 버프)가 없어서 확률은 낮지만 아무리 드랍률이 낮아도 골드는 곧잘 떨어지는 법이니 헌드레드 역시 그 모습을 보았을 터이다.

"정말…… 세상이 알 수 없게 변해 버렸군요."

"그래. 그보다."

나는 인벤토리에 잔뜩 있는 뼈 단검(일반), 뼈 장검(일반), 가죽 방패(일반)를 죄다 꺼냈다.

장비들을 분해하면 수호령을 강화할 수 있는 [혼의 결정]을 얻을 수 있지만 장비 분해도 그냥 되는 게 아니라 상점에서 구매해야(공짜가 없다.)하는 용해석이 들어가는 데다 성공과 대성공, 실패까지 있기 때문에 일반 장비들을 분해하기엔 단가가 안 맞는다.

"영지민들을 무장시켜라. 개중에서 힘이 좋은 놈들은 방패도 들게 해."

"하지만 영주님, 오크들은 더 이상 쫓아오지 않는다고……."

"다른 영지는 멀쩡할 것 같나? 괴물들이 나온 영지가 우리뿐이라고 생각해?"

"……."

"무장시켜."

"명령대로."

헌드레드는 다섯의 장정을 부려 장비들을 가져간 후 무장을 마친 마흔 명의 병사들을 추려 지휘하기 시작했다. 새로운 무기에 맞춰 보직을 결정하고 간단하게나마 진형과 분대를 구성하는 것이다.

기사란 어릴 적부터 훈련받은 전쟁 전문가.

거기에 산적이나 용병으로서의 경험자가 많은 영지 특성상 무기를 다룰 줄 아는 이가 많다는 장점이 겹쳐져 패배 의식에 빠져 있던 병사들의 기세가 점점 날카로워지는 게 느껴질 정도였다.

"식사 시간입니다!"

"고기 먹고 하세요!"

열댓 명밖에 남지 않은 아낙들을 이끌고 있는 하녀장 플라워가 소리 높여 사람들을 모은다. 커다란 냄비에서 고기 스튜가 끓고 있고 장정 몇이 달라붙은 모닥불 위에는 멧돼지가 지글지글 구워지고 있다.

우적.

멧돼지 뒷다리를 잡아 뜯는다.

'느끼해. 거기에 고기 잡내까지…….'

고기 육질은 나쁘지 않지만 조미료의 부재가 심각하다. 소금만 뿌려 먹어도 훨씬 낫겠지만, 변방이라 해도 우리 영지와 바다까지의 거리는 수백 킬로미터가 넘었다.

더구나 그 사이에 짐승과 짐승이 진화해 만들어진 마수, 산적, 그리고 산적과 다를 바 없는 화전민들이 가득한 상황이었기에 영주인 나조차 쉽게 구할 수 없던 상황.

영지를 잃고 달아나는 중인 지금은 말할 것도 없다.

'그러고 보면…….'

커다란 바위에 걸터앉아 병사들이 가져다 준 스튜와 고기를 씹어 먹다 보니 문득 드는 생각이 있었다.

'나는 지금 데이터 쪼가리를 먹고 있는 건가?'

지구의 물건은 아르데니아로 가져올 수 없고, 마찬가지로 아르데니아의 물건도 지구로 가져갈 수 없다.

오직 내 몸.

오직 이 육신만이 두 세계의 접점이다.

정확히는 '이었다.'라고 할 수 있겠지. 이 리벤지가 끼어들기 전에는 그렇다는 말.

'진짜 말도 안 된다니까.'

마우스 클릭으로 잡은 멧돼지의 다리를 먹어 현실에서 배를 불리는 게 물리학적으로 가능한 일이란 말인가?

그뿐이 아니다.

"로그아웃."

지구로 돌아온다. 그리고 씹고 있던 멧돼지 고기를 퉤하고 바닥에 뱉었다.

철퍽.

멧돼지 고기가 바닥에 떨어진다. 나는 가만히 그것을 내려다보았다.

그리고 약 1분 후.

치직!

바닥에 떨어져 있던 고기가 마치 한 대 얻어맞은 디스플레이처럼 일그러진다. 그리고 잠시 후.

[멧]-[돼지]-[다리]-[고기].

지직!

고깃덩어리가 일그러지며 사라져 가고 그 자리를 텍스

트가 대신한다. 심지어 그 텍스트도 이내 일그러져 사라지고 바닥에는 고기에 섞여 있던 침 몇 방울만이 남았다.

"뭐냐고, 대체…… 진짜 데이터야?"

영문을 알 수 없는 현상에 헛웃음을 짓다가 다시 로그인해 아르데니아로 넘어간다.

'뭐.'

누군가는 혼란에 빠질 만한 상황이었지만 나는 가볍게 떨쳐 냈다.

'이득이면 그만이지.'

"더 드시겠습니까, 영주님?"

"줘."

용병 일을 그만두고 영지 유일의 식당 〈도살자의 쉼터〉를 운영하던 부처(Butcher)가 바짝 익힌 뒷다리 살을 베어 준다.

"……음?"

조금 전과 다르게 입안에 퍼지는 허브 향에 고개를 돌리자 부처가 눈을 찡긋거린다. 나름 요리사라고 쟁여 놓은 물건들이 있던 모양이다.

'그나마 먹을 만하네. 그래 봤자 한계가 있지만.'

다시 생각해도 기가 찬 일이다. 말 한 마디면 식당이 잔뜩 있는 지구로 갈 수 있으면서 모든 끼니를 아르데니아에서 해결해야 하다니.

그러나 어쩔 수 없다.

'돈이 없어.'

내 전 재산은 현재 8만 3천 원. 저렴한 메뉴만 골라도 한 달은커녕 보름도 버티기 힘든 돈이다.

심지어…….

이 돈도 과금하는 데 써야 한다.

'아! 계획적으로 과금했어야 했는데!'

4000천만 원 정도면 장비, 스킬, 수호령, 펫 등 모든 걸 영웅급으로 맞출 수 있었는데 전설 클래스에 미쳐 탕진해 버리고 말았다.

그나마 전설 클래스라도 뽑았으면 괜찮은데 그러지도 못했으니!

우적우적.

로그아웃해 원룸으로 돌아온 난 고기를 계속 씹으며 생각을 정리했다.

'일단 기다리자. 9월 1일이면 기본 소득도 들어올 테니.'

대한민국은 부유한 동시에 사회복지 제도가 잘 마련되어 있는 국가다.

대한민국 국민이라면 어떤 일을 하건 매달 120만 원의 기본 소득이 주어지고, 나처럼 군인으로 복무했다면 기본 소득에 추가금이 붙는다. 내가 350만 원의 월급을 받으며 3년 군 생활을 했으니 이것도 매달 100만 원씩 9개

월은 나올 것이다.

즉 일을 안 해도 매달 들어오는 돈이 220만 원은 된다는 것.

거기에 거주하고 있는 장소도 정부에서 직접 운영하는 룸 타워, 그것조차 심지어 내 소유이기에 낭비하지 않는 이상 전기세와 수도세도 무료.

식비가 문제지만 이 또한 아르데니아에서 해결하면 그만이다.

'한동안 무과금으로 버티면서 아르데니아에 집중한다.'

어차피 한동안은 나, 그리고 영지민들이 먹을 식량 때문에라도 사냥터를 옮길 수 없는 상황. 미적미적 쌓이는 경험치와 골드도 무시할 수준은 아니니 바람막이 고원에서 버티는 게 합리적이리라.

"거기에 스킬도 사야 하지."

희귀, 영웅, 전설 등급의 스킬들은 꿈도 못 꾸지만 일반, 고급 스킬들은 스킬 상점에서 골드를 주고 구매할 수 있다.

문제는 클래스마다 스킬이 다르다는 것이다.

클래스 체인지를 하게 되면 다른 계열의 스킬들은 죄다 비활성화된다. 혹시 아르데니아가 현실이 되면서 스킬 제한에도 자유롭지 않을까 기대했는데 스킬 적용은 시스템의 보정이기 때문인지 전혀 사용할 수 없다.

"듀얼리스트도 나쁘지 않지만……."

같은 계열의 직업들은 스킬들을 공유한다. 즉, 소드맨(일반) -〉 숙련 검사(고급) -〉 검귀(희귀) -〉 검왕(영웅) -〉 검성(전설)처럼 같은 계통은 동일한 스킬을 공유한다는 이야기.

그러나 분기가 일어나면, 그러니까 소드맨(일반) -〉 펜서(고급) -〉 플래시 팬서(희귀) -〉 듀얼리스트(영웅) -〉 그랜드 챔피언(전설)을 예로 들면 고급 클래스부터 이미 스킬 공유가 안 된다.

팬서 계열 스킬을 구매하고 다른 직업으로 클래스 체인지를 하면 관련 스킬은 죄다 묶여 버린다는 뜻이다.

혹여 나중에 검성이 나오더라도 기껏 산 스킬들이 묶여 버린다는 것!

"하다못해 검왕이라도 나왔으면 고민할 게 없는데……."

전설도 아니고 영웅급인 검왕도 안 나오다니 기가 찬다. 물론 영웅급 직업이 워낙 많으니 있을 수 없는 일까지는 아니지만 이렇게 많은 클래스를 뽑았는데 이게 안 나오다니.

'듀얼리스트도 그리 나쁜 직업은 아냐. 리벤지에서는 오히려 검왕보다 높게 평가 될 정도니까.'

그러나 듀얼리스트의 스킬들은 죄다 일대일 콘셉트라 1대 다수, 혹은 다수 대 다수의 전투를 해야 하는 내 입장상 비효율적일 수밖에 없다.

'게다가 듀얼리스트는 크리 검사야. 스킬을 많이 익히면 익힐수록 손해다.'

스킬들이 죄다 치명타 확률 증가, 소/중/대 공격 속도만큼 치명타 확률 증가, 스킬 사용 후 패링 성공 시 치명타 확률 증가…… 이런 식이라 태반이 쓸모가 없다. 어차피 나는 크리 100% 고정이나 다름없는 상황이 아닌가?

치명타 확률이 높다고 팔다리처럼 치명적이지 않은 장소를 때릴 때도 치명타가 터져 주는 것도 아닌데 말이다.

"그렇다고 궁수나 탱커를 할 수도 없고…… 법사나 사제는 더더욱 말이 안 되고."

결국 울며 겨자 먹기로 듀얼리스트의 스킬을 구매했다. 다만 너무 많이 투자할 수는 없어 일반 스킬 하나와 고급 스킬 하나를 샀다.

[플래시(일반)(패시브)]
치명타 데미지 10% 증가.

[결투자의 맹세(고급)(액티브)]
스테미나와 마나를 소모해 공격 속도 30% 증가, 치명타 데미지 50% 증가.

스킬이 꽤 많았지만 죄다 치명타 확률 증가라서 이것들만 골랐다. 문제는 가격으로, 일반 스킬북은 6천 500골드였지만 고급 스킬북은 7만 7천 골드다.

"미친. 10배가 넘게 뛰네……."

고원 멧돼지를 잡아 드랍되는 골드는 평균적으로 8골드 정도니 일반 스킬북 하나를 사려면 멧돼지를 대략 800마리, 고급 스킬북을 사려면 거의 만 마리 가깝게 잡아야 한다.

마을에 종종 들러 정비하는 시간을 제외하면 하루에 약 5천 마리의 멧돼지를 잡는 걸 생각했을 때 고급 스킬 하나 사려고 48시간을 내리 사냥해야 한다는 뜻이다.

'그나마 상점에 팔 수 있는 멧돼지 어금니가 있지만…… 화살값과 포션값을 충당하기도 버겁지.'

[인벤토리 중량이 50%를 초과했습니다!]

[인벤토리 중량이 50%를 초과하여 생명력과 마나가 자연 치유되지 않습니다!]

체다의 배에 열어 놓은 가계부를 끄적이고 있는 사이, 캐릭터 킬리언스의 인벤토리가 또다시 찼다.

물론 가득 찬 것은 아니고 절반만 찼을 뿐이지만 너 한 대 나 한 대의 무식한 전투법을 구사하는 자동 사냥에서 자연 치유 능력이 사라지면 포션 소모량이 수입을 뛰어넘어 버린다.

"가뜩이나 드랍률도 거지같은데 마이너스 전투를 할 수는 없지."

나는 지금까지처럼 사냥터를 한 바퀴 돌며 버려진 고기들과 무기들을 인벤토리 중량이 240%가 될 때까지 꽉꽉 채워 넣은 후 아르데니아로 들어갔다.

"아빠⋯⋯ 다리 아파요."

"그래그래. 내가 업어 줄 테니."

"너부터 비실거리는데 뭘 업어? 헛소리 말고 내 짐에 얹어!"

1000명의 영지민들이 산길을 타고 북으로 이동하고 있다. 대부분이 건장한 사내들이었음에도 행군 속도가 기절할 정도로 느리다.

'짐도 별로 없이 이틀 동안 걸었는데 30킬로미터도 못 가다니⋯⋯.'

내가 군대에 있을 때 1일 행군 거리는 150킬로미터였다. 그마저도 일반 부대라 얼마 안 되는 수준이라고 했다.

'하긴 그러니까 폐급 마나 적성을 가진 나도 따라갈 수 있었지만.'

간부 훈련소에서 1일 행군 거리는 300킬로미터가 기본이다. 특수부대는 1000킬로미터도 간다는데 그 쯤 되면 아예 날아가거나 전원이 경공을 사용하는 수준이니 일반적인 행군이라 보기는 어렵겠지.

나는 영지민들의 상태를 둘러보았다.

영지를 잃고 이동하는 상태였기에 분위기는 좋지 않다. 게다가 계속된 행군에 다들 지쳐 있는 상황.

'좋지 않은데. 이러다 마수들이 습격이라도 하면.'

그리고 그때였다.

"영주님! 영주님!"

뒤쪽, 그러니까 남쪽에서부터 목이 터져라 외치며 한 병사가 달려온다. 혹시 모를 추적에 대비해 은신처에 대기시켜 놓았던 정찰병이다.

"뭐냐? 왜 이렇게 급하게 와?"

"뒤! 뒤쪽에! 헉헉. 오크 놈들이…… 헉."

"숨부터 고르고 말해라. 오크 놈들은 발이 느려. 위치만 말해 주면 내가 가서……."

"노, 놈들이 다 따라잡았습니다!"

"그게 무슨 소리야? 쉬면서 체력을 비축한 너를 오크가 어떻게 따라잡아?"

그렇게 말하는 순간이었다.

두두두두!

저 멀리에서부터 땅이 울리는 소리가 들린다. 놀라 고

개를 드니 산 너머에서 오크 대가리가 튀어나오는 모습이 보인다.

'벌써 따라잡았다고?'

아르데니아 쪽의 인벤토리에서 시작의 검을 꺼내면서도 상황을 이해하지 못한다.

오크 놈들의 발은 절대 빠르지 않고 워낙 요란스러운 놈들이라 마수들의 습격까지 있을 텐데 영지에서 제일 잘 달리는 정찰병을 따라잡는 게 말이나 될 법한 일이란 말인가?

그러나 녀석이 언덕을 넘어서는 순간.

나는 그 이유를 알 수 있었다.

"컹! 컹컹!"

"오~~ 로로로로!"

"하하하하! 찾았다! 인간 놈들이 저기에 있다!"

언덕 너머에서부터 수십의 오크들이 모습을 드러낸다.

그리고 녀석을 태우고 있는 늑대들 또한.

"이 미친…… 저 마수 놈들이 왜 오크를 태우고 와?!"

문제는 그뿐이 아니었다.

녀석들의 중앙에 늑대들 중에서도 가장 큰 늑대를 타고 있는, 가장 큰 덩치의 오크가 눈에 들어왔다. 늑대의 머리에 있는 두 개의 뿔은 녀석이 백인마수(百人魔獸)라는 것을 뜻하고.

심지어 녀석의 등 뒤에 타고 있는 녀석은 나와 구면이다.

발칸 오크 투사(희귀)
함롬

내가 한 번 죽였던 몬스터가.
충혈된 눈으로 나를 노려보고 있었다.
"하, 진짜 리젠되나 보네……."
기가 막힌 현실에 헛웃음을 흘리며 고개를 돌린다.
"스틸스톤! 헌드레드!"
"네, 영주님."
"네, 영주님!"
"영지민들을 이끌고 북쪽으로 계속 이동해라. 여긴 내가 막는다."
내 말에 두 기사의 눈이 흔들린다. 녀석들 또한 오크와 몇 번이고 맞붙었던 만큼 녀석들의 전투력을 잘 알고 있었으니까. 심지어 녀석들은 킬리언스 산맥의 지배종이라 할 수 있는 늑대 마수들을 타고 있는 상황이 아닌가.
스틸스톤이 말했다.
"영주님, 헌드레드 경은 실버소드 가문에서 전문적인 교육을 받은 엘리트입니다."
"그래서?"

"그라면 겨우 1000명밖에 안 되는 영지민쯤 혼자서도 이끌 수 있을 겁니다."

그렇게 말한 스틸스톤은 등에 매고 있던 히터 실드를 왼팔에 단단히 고정하고 롱 소드를 뽑아 들었다.

"죽을지도 모른다."

"평민 사냥 때도 그랬죠."

씩 웃는 녀석의 모습에 나 역시 피식 웃고는 헌드레드를 돌아보았다.

"북쪽으로 쭉 올라가라. 북쪽 영지에도 괴물들이 나타났겠지만 오크 놈들보다는 훨씬 약할 거야. 평균 신장이 1미터가 간신히 넘을 정도라니까."

물론 영지 말고도 땅은 많다. 영지와 영지 사이의 거리는 100킬로미터나 되는 이상, 영지와 영지 사이에도 인간이 살 공간은 얼마든지 있지.

문제는 마수.

영맥, 그러니까 대륙의 가로줄과 세로줄을 벗어난 땅에는 마수들이 그야말로 미친 듯 버글거린다. 인간들이 괜히 드넓은 땅을 놔두고 용맥이나 영맥 근처에 영지나 마을을 만드는 게 아니다.

"그리고 스마일."

"네, 넵."

여태 조용히 있던 영지 유일의 마법사가 딱딱하게 굳은

얼굴로 나를 바라본다. 언제나 싱글벙글하던 미소는 찾을 길이 없다.

"헌드레드를 보좌하고 매일 정오에 수정구로 통신을 보내라. 나도 무조건 죽자고 가는 건 아니니."

"네! 영주님!"

혹시나 따라오라고 할까 봐 불안해하던 스마일이 빠릿빠릿 대답한다. 나는 고개를 끄덕이고 저 멀리에서 달려오는 오크들을 향해 걷기 시작한다.

뒤로 헌드레드의 목소리가 들린다.

"……보중하십시오."

"그래."

"모두 서둘러! 짐이 되는 건 버려라! 전력으로 북상한다!"

영지민들을 보내고 미친 듯 달려오고 있는 오크 라이더를 본다. 의연한 척했지만 상황은 심각하다.

'기동력을 얻다니.'

오크 전사 100마리가 몰려와도 두려워하지 않던 것은 일 대 백이 가능해서가 아니라, 우월한 기동력으로 각개격파가 가능했기 때문이다.

내가 아무리 잘 싸워도 검기를 뿜뿜 뿜어내거나 광역마법을 펼치지 못하는 이상 수적 열세를 이겨 낼 수는 없다.

심지어 일대일로 날 사경에 몰아넣었던 오크 투사까지

찾아온 상황!

직업과 컬렉션의 도움으로 강해졌다 해도 정신 바짝 차리지 않으면 목숨 간수하기 어려운 상황이다.

"앞서겠다. 스틸스톤, 내가 흘리는 놈들을 마무리하면서 따라와. 특히 늑대 마수들을 죽여야 한다."

"네, 영주님."

방패를 든 자신을 뒤로 보내는 명령에도 의문을 표하거나 반문하지 않는 스틸스톤. 나는 저 멀리에서 달려오고 있는 수십 마리의 오크 라이더들을 살피다 상태창을 확인했다.

아이디 : 한재연

클래스 : 듀얼리스트(영웅)

칭호 : 신규 모험가(일반)

레벨 : 28

근력 : 46(+100) 체력 : 48(+102)

생명력: 36(+59) 민첩 : 52(+180)

마나 : 1(+70) 마나력 : 1(+25) 항마력 : 1(+15)

회복력 : 51(+15) 마나 회복력 : 21(+11) 운 : 10

자유 스텟 : 79

상태 : 정상

스텟은 미친 듯 뻥튀기되어 있다. 심지어 21레벨부터 주어지는 자유 스텟을 딱 1포인트만 실험용으로 사용하고 남겨 뒀음에도 그렇다.

'옛날의 내가 10명이 덤벼도 이길 수 있을 것 같아.'

영웅 등급의 클래스 보정과 컬렉션의 효과는 실로 엄청나다.

마나의 현묘한 이치와 깨달음의 경지가 없어도 이 정도의 스펙이면 인간 이상의 전투력을 발휘할 수 있기에 더욱 그렇다.

'아, 전설 클래스까지 있었으면 100마리쯤은 그냥 들이받았을 텐데.'

그러나 전설 클래스가 나오지 않은 이상 상황을 냉철하고 명확하게 파악해야겠지.

나는 천천히 언덕을 오르며 생각했다.

'가능한가?'

결론은 빠르게 나왔다.

'불가능. 적어도 이대로는.'

저 멀리에서 달려오는 오크 라이더들의 모습을 본다. 눈으로 나무와 나무 사이의 거리를 잰 후 오크 라이더가 그곳을 지나치는 시간을 확인했다.

100미터를 6초에 뛰고 있다.

"와, 늑대 새끼들, 저 덩치를 태우고 잘도 달리네."

"다시 봐도 믿을 수가 없군요. 마수화된 짐승들이 등에 누군가를 태우다니……."

기나긴 아르데니아의 역사상, 그 어떤 인간도 마수들을 길들이지 못했다.

'언제나 먹이로 봤지.'

아직까지는 야수 카테코리에 들어있는 늑대가 늑대마수로 진화하여 일각늑대가 되면 흔히 십인마수라고 부르는데, 여기에서 십인이란 十人, 즉, 열 명의 사람을 뜻한다.

십인마수가 10명의 인간과 맞먹는 전투력을 가졌다는 뜻이 아니다.

10명의 인간을 먹었다는 말이지.

'그 어떤 마수도 그 본능을 이기지 못한다. 영맥과 용맥이 없었으면 인류는 옛날에 멸망했을 거야.'

인간을 먹으며 진화하는 마수들은 아무리 어릴 때부터 키워도 끝끝내 본능을 이기지 못한다.

혹여 인간을 자신의 부모나 형제로 인식한다 하더라도, 기회가 된다면 무조건 잡아먹으려고 들기에 길들이는 것이 불가능하다.

'설마 오크라서 다르다는 건가? 아니, 인간이 아니라 엘프나 드워프, 심지어 수인 같은 아인종도 상황은 마찬가지였는데.'

두두두두!

이런저런 생각을 하는 동안에도 계속해서 달려온 오크 라이더들이 500미터 안쪽으로 접근한다. 100미터를 7초에 뛰는 늑대 마수의 속도를 생각하면 그야말로 지척이다.

"지금까지 함께해 영광이었습니다, 영주님."

등 뒤에서 스틸스톤의 목소리가 들린다. 몰려드는 오크 라이더들을 보고도 흔들림 없는 목소리.

나는 왼손을 들었다.

"스틸스톤, 혹시 이거 보이나?"

"카드…… 로 보입니다만."

"정확히."

"칼이 그려진 카드로 보입니다."

꽤 좋은 징조에 슬쩍 웃음이 나온다.

'어쩌면……. 가능할지도 모르겠군.'

녀석은 죽음을 각오하고 이 자리에 섰지만, 어쩌면 전혀 다른 결과가 나올지도 모른다는 생각이 들었다.

"받아."

핑!

카드를 집어던지자 스틸스톤이 반사적으로 그것을 붙잡는다.

그리고 그 순간.

-황실에 충성하고 제국의 방패로써 목숨을 바쳐라!-

"제삼자한테도 소리가 들리는군."

핑! 하고 영웅급을 뜻하는 보랏빛이 터졌다가 사라진다.

"이, 이게 무슨 일입니까, 영주님?"

슬쩍 고개를 돌려 본다. 외형적인 변화는 없다. 스틸스톤의 무장도 그대로고 무슨 오오라가 풍긴다는 일 역시 없었다.

그러나 당연하게도, 본인은 스스로에게 벌어진 일을 알 수 있을 것이다.

"변화가 느껴지나?"

"칼과…… 방패가 새털 같습니다. 갑옷도 가볍고, 온몸에서 힘이."

"됐군."

클래스 카드가 타인에게 적용된다는 건 희소식이다. 당장은 나 쓸 것도 모자란 상황이지만 장기적으로 내 세력을 강화시킬 수 있다는 뜻이기 때문이다.

일반 클래스라도 일단 얻기만 하면 레벨 업이 가능해지고 아이템의 효과를 볼 수 있게 된다. 직업의 소유는 단순한 클래스 효과를 넘어서는 의미를 가지게 될 것이다.

"오로로로로!"

"인간! 형제들을 죽인 인간 놈! 내가 잡는다!"

"아까 말했다시피……."

어느새 코앞까지 달려와 덤벼들기 시작하는 오크들을 보며 말한다.

"내가 흘리는 놈들을 마무리하면서 따라와. 특히 늑대 마수들을 죽여야 한다. 후퇴하려면 적의 기동력을 죽여야 하니까."

까앙!

[패링 성공!]

내리찍어 오던 도끼를 쳐 내자 오크 전사의 자세가 무너진다. 나는 그대로 드러난 옆구리를 가로로 그은 뒤…….

"끄억!"

다리로 늑대 마수의 머리를 찍어 버렸다.

"켕!"

무지막지한 속도로 달려오던 오크와 늑대 마수가 그 속도 그대로 바닥을 뒹군다.

내장이 다 쏟아져 사경을 헤매는 오크 전사와 다르게, 늑대 마수의 경우 잠시 정신을 못 차리는 정도였지만 내 뒤에 서 있던 스틸스톤이 검을 휘둘러 바닥에 쓰러져 있던 늑대의 목을 베어 버린다.

'늑대를 죽이는 걸로는 경험치가 없군.'

그러나 이어서 오크 전사를 죽이는 순간.

팟! 팟! 팟!

스틸스톤의 몸에서 레벨 업 이펙트가 터져 나온다. 스틸스톤이 어리둥절한 표정을 짓는 것이 보인다.

"레벨 업?"

그리고 그 모습에 나는 인상을 찡그렸다.

"아니, 왜 3레벨밖에 안 오르지? 기여도를 좀 뺏기긴 했겠지만 아무리 그래도 1레벨이었는데?"

그러나 가만히 생각해 보자 곧 이유를 알 수 있었다.

"여신의 가호."

여신의 가호란 사냥 시 경험치/아이템/골드를 추가로 획득할 수 있는 버프를 말한다.

리벤지 유저들이 여신의 가호가 1단계(은총 포인트 0, 경험치, 아이템, 골드 획득률 100%)까지 내려갔을 때 그냥 사냥을 안 하고 만다는 걸 감안하면 피로도 개념이라고도 볼 수 있다.

나는 시야 오른쪽 위에 있는 깃털 모양의 아이콘을 바라보았다.

여신의 가호 3단계(810포인트)

경험치 획득률 700%

아이템 획득률 500%

골드 획득률 300%

여신의 가호는 캐릭터가 안전지대에 있거나, 또는 로그아웃 상태일 때 200포인트까지 자동 충전된다. 201포인트부터가 가호 3단계라는 걸 감안하면 1단계는 사냥 불가. 2단계는 무과금 유저. 3단계가 과금 유저라고 분류할 수 있겠지.

문제는 현재 아르데니아에 안전지대가 존재하지 않는다는 것.

사냥을 하려면 무과금 유저도 아니고 그냥 은총이 없는 상황을 마주해야 한다. 자동 충전 자체가 안 되기 때문이다.

리벤지에서야 마을에 못 가도 로그아웃을 하면 충전이 되지만……. 아르데니아에 사는 사람들에게는 이곳이 현실인데 로그아웃이 어디 있단 말인가?

'이거…… 레벨 올리기가 쉽지 않겠어. 전투도 쉽지 않은데 가호조차 없다니.'

생각난 김에 [킬리언스] 캐릭터에 있던 아이템을 아르데니아 쪽으로 꺼냈다.

[가호의 성배를 사용하셨습니다! 여신의 가호 810->860]

"아, 사료의 달달한 맛."

리벤지에서 12시, 18시, 21시에 주는 푸시 아이템은 모조리 아르데니아에서 쓰는 중이다. 여신의 가호는 캐릭터별로 존재하기 때문에 캐릭터를 돌아가서 굴리면 가호가 모자랄 일이 없다.

"인간 놈! 감히 한눈을 팔아?!"

두 번째로 덤벼든 오크 전사는 도끼를 휘두르는 대신 늑대 마수를 몰아 그대로 몸통 박치기를 가해 왔다. 일단 넘어트리고 보겠다는 심산.

오크 전사를 본다. 마주 노려보고 있는 시선이 느껴진다.

나는 그대로 땅을 박찼다.

팟!

집중한다. 찰나의 순간 나를 물어뜯겠다고 입을 쩍 벌리고 있는 늑대의 머리를 밟았다. 늑대는 머리를 흔들려 했지만 그보다 먼저 머리를 강하게 박차고 뛴다.

우득!

늑대의 목뼈가 부러지는 소리와 함께 몸이 날아오른다. 경악한 오크 전사가 도끼를 휘두르려 했지만 이미 늦었다.

[치명타!]

[오크 전사를 쓰러트렸습니다!]

피가 분수처럼 솟구치고 잘린 머리통이 하늘을 난다. 나는 여전히 허공에 뜬 채로 뒤이어 달려오고 있던 오크 전사를 덮쳤다.

녀석이 비명을 지른다.

"말도…… 안 돼!"

"말이 안 되긴, 인마."

비웃으며 검을 휘두른다.

깡!

[패링 성공!]

패링 스택이 쌓이고 공격 속도가 더더욱 빨라진다. 아직도 몸은 허공에 떠 있지만 자세가 완전히 무너진 오크 목 따는 거야 일도 아니다.

[치명타!]

[오크 전사를 쓰러트렸습니다!]

퍼억!

"켕!"

늑대 마수의 등뼈를 지끈 밟아 주자 개 소리가 들린다. 뒤따라 달려온 스틸스톤이 확인 사살하는 소리를 들으며 포효했다.

"덤벼라, 경험치들!"

"인간! 인간!"

"죽여라!"

"오~~로로로로!"

분노 가득한 외침 소리와 함께.

두 인간과 수십의 오크가 충돌했다.

일 대 다수의 전투에서 가장 중요한 것은 전장의 상황을 완벽히 파악해야 한다는 것이다.

눈앞의 적을 아무리 잘 상대해도 옆구리에 칼빵 한 대 맞으면 전투는 그 즉시 끝.

전장 전체를 살피는 넓은 시야, 모든 상황을 시뮬레이션할 수 있는 전투 지능, 그리고 전장을 통제할 수 있는 일정 이상의 무력이 없다면 일 대 다수의 전투는 꿈에 불과하다.

어렸을 적 조폭들과 싸웠을 때가 떠오른다.

조폭들은 전원 전투형 능력자였다. 당연한 일이다. 술집에서 어깨빵을 해도 상대가 능력자인 34지구에서 충분한 무력 없이 어찌 폭력을 업으로 삼을 수 있겠는가?

때문에 나는 싸우기 전에 적을 알아야 했다.

조폭들의 체형, 익히고 있는 무공이나 식, 주로 사용하는 초식, 습관 등등.

뿐만 아니라 나는 전장에 대해 알아야 했다.

내가 싸워야 할 뒷골목의 정확한 폭과 벽들의 강도, 벽 너머의 환경, 바닥을 굴러다니는 철근의 위치, 쓰레기통에 들어 있는 쓰레기들의 종류, 특정한 위치에 섰을 때의 시야각과 사각까지.

모두가 불가능하다고, 객기 부리지 말라고 만류했던 전투에서의 승리는 짜릿했다. 그 결과가 어찌나 충격적이었는지 조폭들은 물론이고 뒤를 봐주던 기업들마저 우리 학교에서 손을 떼었던 일이 기억난다.

그 후에도 그 승리를 믿지 못하던 애송이들이 계속 도전해 왔지만 나는 절대 지지 않았다. 대규모 폭력 사태에 휘말려 '경찰'을 만나기 전까진 그랬다는 말이다.

'뭐 어쨌든 중요한 건.'

그때에 비하면 지금 전투의 난이도는 우스울 정도로 낮다는 것이다.

"하하."

[패링 성공!] [치명타!]

"하하하하!"

[패링 성공!] [치명타!]

날아드는 도끼를 쳐 낸다. 파고들며 목을 치고 지나간다. 이번에는 목뼈를 피해서 베었기에 드는 힘이 훨씬 적다.

물론 이렇게 하면 즉사가 안 되기에 질긴 생명력을 지닌 오크가 발악할 위험이 있지만, 내 뒤에 있던 스틸스톤은 방패로 녀석을 넘어트려 최후의 발악을 막는다.

스틸스톤은 나서서 적을 무찌르지 않았지만 한 자리에서 버티고 선 것 만으로 어마어마한 전략적 가치를 가지고 있다. 내가 완전히 포위되거나, 마무리를 위해 시간을 낭비하는 상황을 막아 주었기 때문이다.

'스틸스톤이 언제까지 버틸 수 있을까?'

걱정되었지만 믿어 보기로 했다. 무엇보다 임페리얼 나이트는 [불굴] 특성을 가지고 있지 않던가?

따당! 퍽!

쳐 낸다. 파고든다. 목을 베어 내고 옆구리를 찢어발긴다. 발로 차 자세를 무너트리고 머리를 밟고 뛰어 목뼈를 부러트린다.

폭증한 민첩 스텟의 영향으로 인지 능력은 이미 인간의 한계를 넘어섰다.

10중첩된 패링으로 100%나 빨라진 공격 속도는 1초에 5번의 참격을 날릴 수 있을 정도다.

'공격 속도 버프는 인지 능력 보정에 상체 가속이 걸리는 방식인가.'

공격 속도가 미친 듯 빨라지는 게 장점이라면 장점이지만 그만큼 상체 근육에 부하가 걸린다는 것이 문제다. 고작 30분도 싸우지 않았는데 전완근이 끊어질 듯 아프고 20년의 세월 동안 단련된 손바닥이 쓰라려 오는 상황.

정상적인 상황이라면 나는 이대로 체력과 육체 능력이 떨어져 적의 공격을 허용하게 되었을 것이고 어느 순간 버티지 못하고 목숨을 잃었을 것이다.

그러니까 정상적인 상황에는 그러하다는 말이다.

"로그아웃."

팟!

사방에서 나를 습격하던 오크들이 사라지고 침대, 책상, 냉장고만이 존재하는 황량한 분위기의 원룸이 나타난다.

"으…… 아!"

신음하며 침대에 눕는다. 온몸에 묻어 있던 핏물들은 지구로 따라오지 못하기에 침구를 버릴 필요는 없다.

"후욱…… 후욱……."

[알 수 없는 이유로 체력이 1포인트 상승하였습니다!]

"그나마…… 헉헉. 미리 안 튀고 한계까지 버틴 보람이 있네."

리벤지에 훈련 시스템은 없다. 애초에 자동 사냥 게임에 그런 게 왜 있겠나.

그러나 여기는 현실이고…… 육신은 단련하면 성장하기 마련이다. 그 사실을 인식하지 못하는 시스템은 그저 스텟이 오른 것만을 인식하는 모양이다.

"하지만 힘들어……."

극도의 집중을 요구하는 전투의 체력 소모는 어마어마하다. 링 밖에서는 강철 체력이던 사람도 링 위에서는 3분 3라운드를 버티지 못하고 탈진하는데, 나는 체력 배분도 없이 죽고 죽이는 전투를 수행한 것이다.

"후우…… 후우……."

잠시간 휴식하자 거칠던 호흡이 가라앉기 시작한다. 나는 후들후들 떨리는 몸으로 침대 끝을 잡고 몸을 일으켰다.

[레벨 업!]

모니터에 표시되는 [킬리언스쓰리]의 주위로 레벨 업 이펙트가 터지는 모습이 보인다. 녀석 역시 다른 캐릭터들이 그러하듯 바람막이 고원에서 멧돼지를 잡는 중이다.

"슬슬 4번 분신도 만들어야겠다."

원래 초보들은 사료로 주는 여신의 가호도 다 못 쓴다. 여신의 가호는 캐릭터에 쌓이는 경험치량에 비례해 소모되기 때문이다.

레벨이 낮고 게임도 그리 오래하지 않는 저레벨 유저는 사료로 주는 가호는커녕 자연 회복되는 가호조차 다 쓰기 버거운 것.

그러나 고레벨 유저들은 다르다.

몬스터 한 마리를 잡을 때마다 막대한 경험치를 획득하는 그들은 많은 가호도 빠르게 소모하고 만다.

그리고 그렇게 가호가 떨어지면 드랍률과 경험치 획득률이 폭망!

모자란 가호에 허덕이던 그들은 결국 성물 상자(사용하면 가호 포인트가 생성되는 성수/성배/성물 중 랜덤 획득)를 구매하거나 아무리 경험치를 얻어도 가호가 2단계 이하로 떨어지지 않는 여신의 가호 패키지를 구매하고 만다.

여신의 가호란 고레벨일수록 돈을 더 써야 하는 소득 비례형 과금 모델인 것이다!

"참, 참신한 쌍놈들이다."

나는 아직 저레벨이라 사료로 주는 가호를 날려야 하는(가호 최대치 1000) 입장이지만 캐릭터들은 24시간 사냥하고 사료는 죄다 아르데니아에 보내고 있어 그러지 않고 있다.

"그보다…… 전투가 너무 길어지네. 다행히 [불굴] 특성 덕에 잘 버티고 있지만 스틸스톤이 죽기 전에 전투를 끝내려면 결정해야겠지."

나는 상태창을 켰다.

아이디 : 한재연

클래스 : 듀얼리스트(영웅)

칭호 : 신규 모험가(일반)

레벨 : 33

근력 : 46(+100) 체력 : 49(+102)

생명력 : 36(+59) 민첩 : 52(+180)

마나 : 1(+70) 마나력 : 1(+25) 항마력 : 1(+15)

회복력 : 51(+15) 마나 회복력 : 21(+11) 운 : 10

자유 스텟 : 129

상태 : 정상

"현재 레벨은 33, 자유 스텟은 129포인트."

영지에서 탈출해 영지민들을 이끌면서 수백 마리의 오크들을 잡아 죽였다. 그리고 전투가 계속되면서 스텟에 대해서도 깊이 생각하게 되었다.

"마나랑 마나력은…… 쓸모가 없다."

평생을 소원하던 초월의 힘이지만 결국 인정할 수밖에 없다.

[폐급 마나 적성]

나는 어떤 영능을 익혀도 절대 입문자 이상으로 넘어갈 수 없다고 국가에서 공인된 몸이다.

그 옛날 스테이지에 참가했던 [어르신]들처럼 대환단급 영약을 수십 개 이상 먹거나 드래곤 하트 같은 초월적인 영자 기관을 이식하지 않는 이상 벗어날 수 없는 저주받은 굴레.

"아무리 스텟으로 마나가 생겨도…… 결국 그 마나를 쓰는 건 나니까."

[폐급 마나 적성]은 그저 영력의 최대치나 성장 속도에만 영향을 끼치는 게 아니다. 영력의 컨트롤에도, 감지 능력에도 막대한 영향을 미친다.

즉.

저주 마법을 맞아도 적용이 안 될 정도로 영감이 떨어지는 나는 설사 수십 갑자의 내공이 있어도 제대로 쓸 수 없는 병신이라는 뜻이다.

영적 장애인이라 불러도 부족함이 없다.

"그리고 체력."

근접 전투를 하는 이에게 체력은 가장 중요한 능력치로, 육체 능력의 허리를 담당한다 해도 과언이 아니다. 체력이 모자라다면 강대한 근력도, 번개 같은 민첩함도 무용지물이나 다름없겠지.

그러나.

"체력도 패스."

언제나 쉴 수 있는, 정확히는 언제나 로그인/로그아웃이 가능한 나라면 조금 더 극단적으로 투자할 수 있다.

"민첩도 패스."

일반인이나 다름없던 시절에도 총알을 피하는 능력자들을 몇 번이고 상대했던 나다.

[초인적인 운동 신경], [초인적인 정신력], [불가해한 전투 예지], [불가해한 신체 제어]라는 재능은 모자란 민첩으로도 충분한 전투력을 발휘할 수 있도록 도와줄 것이다.

"결국 답은 힘인가."

나는 거침없이 자유 스텟을 근력에 때려 넣기 시작했다.

10, 20, 30, 40, 50.

뿌드득!

정확히 54포인트를 근력에 쏟아 넣었을 때 피부 안쪽

에서 거대한 밧줄이 뒤틀리는 듯 묵직한 소리가 울렸다.

척추가 바짝 세워지고 근육이 단단히 조여진다. 나는 한순간 내 육신이 근본적으로 변화했음을 느꼈다.

"스텟이……."

근력을 확인하니, 100(+100)포인트.

지금 이 변화가 순수 스텟이 100을 넘었기 때문인지 아니면 총합 200을 찍었기 때문인지 확신할 수 없지만 육체의 격이 한 단계 올라간 것만은 틀림없어 보였다.

"100포인트면…… 건장한 성인 남성 세 명 정도의 힘인가."

10포인트가 노약자, 20포인트가 성인 여성, 30포인트가 성인 남성의 스텟이라는 걸 생각해 보면, 3대 1000킬로그램은 칠 수 있는, 그야말로 인외의 괴력이다.

스텟 시스템은 리벤지가 아니라 현실에서도 통용되는 정보이기에 잘 알고 있다.

"그러고 보면 스텟이 100포인트마다 격이 달라진다고 했었지."

그렇기에 200스텟이면 고작 성인 여성의 10배. 뭐 그 정도가 아니다. 생체력을 익히거나 특별한 기연이 없는 이상 이능 사용자라도 200스텟의 근력을 가지는 경우는 거의 없다.

인간의 강점은 근력이 아니라 높은 지능, 그리고 뛰어

난 영능 적성이기 때문이다.

"어디 보자."

나는 바닥에 분리수거함에서 주워 온 벽돌과 깡통, 그리고 5킬로그램짜리 덤벨을 늘어놓았다.

그리고 일단 벽돌을 잡았다.

콰드득!

별로 힘을 주지도 않았는데 벽돌이 부스러진다. 어찌나 연약한지 손끝으로 느껴지는 감촉이 무슨 모래를 움켜쥔 것 같다.

"……맘에 들어."

와자작!

제법 튼튼한 종류였던 금속 캔도 종잇장처럼 구겨져 버린다. 손에 힘을 더 주자 금속 캔이 마치 젤리처럼 손가락 사이로 삐질삐질 새어 나온다.

그리고 마지막으로 덤벨.

꽈악!

앞의 두 개와 다르게 덤벨은 쉽게 손상되지 않는다. 당연하다. 벽돌이나 속이 텅 빈 금속 캔과 다르게 덤벨은 주물로 찍어 낸 통짜 금속이기 때문이다.

그러나 정신을 집중하고 오른팔의 근육을 전력으로 활용하자 덤벨이 서서히 찌그러지기 시작한다.

끄그극! 끼익!

거북한 쉿소리에 힘을 주면서도 내심 감탄한다. 마나를 사용하지 않은 단순 근력으로 이게 정말 가능한 일이란 말인가? 그저 주먹을 쥐는 것만으로 합금을 구겨 낼 수 있는 힘이라니!

그러나 그 순간.

퍽! 퍽!

덤벨을 쥐고 있던 오른손의 손톱 3개가 터져 나간다. 피가 튀는 건 당연한 일이고 강렬한 통증이 뇌리를 뒤흔든다.

"윽. 이게 뭐야. 손톱이 왜……?"

당황하면서도 바닥을 굴러다니는 손톱을 정리하고 터진 손가락 끝에 연고를 발랐다. 흥분 상태라 몰랐는데 이제 보니 오른팔 전체가 벌겋게 달아오르다 못해 점점 파래지고 있다.

"힘 좀 줬다고 손톱이 터져 나가? 팔은 다 멍들고?"

오른팔에 힘이 잘 들어가지 않는 걸 보니 근육이 파열된 모양. 황당한 일이었지만…… 나는 이내 문제를 파악할 수 있었다.

"육체의 내구가 힘을 버티지 못했군……."

게임 속 세계에서는 힘만 강해도 상관없다. 힘 스텟이 올라 봐야 근접 데미지가 증가할 뿐 스스로의 힘을 못 버텨 육신이 파괴되거나 하는 일은 없겠지.

그러나 물리 세계에서는 상황이 다르다.

마치 엔진만 강력한 자동차처럼, 홀로 강력한 힘은 얼마든지 육신을 파괴시킬 수 있다.

"그렇다면…… 생명력을 찍어야겠네. 아, 재생력도 필요하겠다."

나는 손톱이 터져 나간 손끝에 붕대를 감은 뒤 왼손으로 PC를 조작해 킬리언스투로 스킬북을 구매했다.

[힐 스킬북(일반)을 구매하셨습니다!]

그리고 클래스를 변경한다.

★☆전직 완료☆★
듀얼리스트 =〉 채플린

영웅급 사제 클래스 채플린으로 직업이 변경된다. 일종의 전투 사제로 스킬 태반이 버프들이지만 그래도 사제 트리기에 힐 스킬을 공유한다.

"어디 보자…… 힐!"

스킬을 사용하자 마나가 소모되고 백색의 빛이 온몸을 휘감는다.

"아, 잠깐, 오른팔하고 손톱만 회복하면 되는데……."

그런 생각에 마나를 통제하려고 했지만 어림없는 소리다. [폐급 마나 적성]이 어어디 건방지게 마나를 컨트롤한단 말인가? 스킬이 자동으로 마나를 써 주는 것만 해도 감사한 일이다.

결국 힐은 정해진 대로 발동되었다.

샤라랑!

성스러운 이펙트와 함께 터져 나갔던 손끝이 서서히 회복된다. 게임 속 캐릭터가 그러하듯 단숨에 HP가 회복되지는 않았지만, 적어도 찢어졌던 피부가 아물고 시퍼렇던 피부가 제 색으로 돌아온다.

"설마 내가 치료 마법을 사용하는 날이 올 줄이야."

다른 스킬들이 그러하듯 힐의 효과 역시 게임 속의 그것과 조금 달랐다.

힐의 상세 설명은 [힐(일반)(액티브) : 마력을 생명력으로 전환한다. 소모된 MP의 50%만큼 HP회복]이지만 애초에 현실에서는 이 HP라는 시스템이 제대로 작동하지 않는다.

내가 오크들을 죽일 때 녀석들의 HP를 다 깎아서 죽인 건 아니지 않은가? 목을 잘라 죽였지.

지금만 해도 그렇다.

현재 내 HP는 고작 2%도 감소되지 않았다. 손톱 3개가 터져 나가고 오른팔 근육이 파열된 것을 시스템은 고작 그 정도의 손상으로 인식한다는 뜻이다.

'이 정도면 보통 사람은 전투 수행이 불가능할 정도인데 2%라니.'

말이야 바른말이지, 손톱 3개가 '터져' 나갔는데 문제없이 싸울 수 있는 사람이 몇이나 되겠는가?

게다가 오른팔 근육이 파열되었으니 오른팔로는 검을 휘두를 수도, 방패를 들 수도 없다.

문제는 그뿐이 아니다.

"HP가 다 찼는데도 회복이 안 되네."

여전히 손톱 3개는 날아가서 없는 상태고 멍이 들었던 오른팔도 최악의 상황만 면했을 뿐 주먹조차 쥐기 힘들다.

말 그대로 응급치료만 된 정도인데도 HP는 100%. 아무래도 이 HP라는 개념은 무조건 [전체 생명력]을 기준으로 하는 모양.

농담이 아니라 HP가 90% 넘게 남아 있어도 죽을 수 있다는 뜻이다. 온몸이 팔팔해도 머리통이 터져 나가면 사람은 죽기 마련이니까.

"힘 몰빵이 안 된다니…… 장갑차 같은 거 막 한 손으로 던져 보고 싶었는데."

아쉬움이 몰려왔지만 어쩔 수 없다. 강한 근력도 좋지만 전력으로 검 한 번 휘두르고, 두 팔이 떨어져 나가는 꼴을 볼 수는 없으니까.

나는 남은 75포인트의 자유 스텟 중 26포인트를 생명력에 투자하고 나머지 49포인트는 회복력에 털어 넣었다.

회복력에 훨씬 많이 넣은 이유는 별게 없다. 순수 회복력 스텟이 51포인트였기 때문이다.

이로써 순수 생명력 스텟은 62포인트, 회복력은 100포인트가 되었다.

두근.

역시나 짐작대로 뭔가 달라지는 게 느껴진다. 심장이 뛰고 혈류가 가속하는 느낌. 잠시 회복되었지만 점점 악화되어 가던 팔의 상태가 양호해지는 게 느껴진다. 아무래도 버프로 올라가는 스텟은 그저 효과로만 작동할 뿐 육신을 변화시키지는 않는 모양이다.

"일단은 이렇게 찍었지만…… 근, 생, 회를 2:1:1로 투자해야겠다."

나는 약수터에서 떠 온 물을 잔뜩 마신 뒤 킬리언스투를 자동 사냥시켜 놓고 침대에 누웠다.

자동 사냥이 마냥 이어지지 않으니 중간 중간 일어나서…….

"……후!"

눈을 떴을 때 8시간이 지나 있었다. 머리가 상쾌할 정도의 꿀잠이다.

"아, 역시 죽었네."

나는 자동 사냥을 하다 죽어 버린 캐릭터를 하루 3회 가능한 무료 부활로 살린 뒤 잡템을 팔고 포션을 충당했다.

그리고 다시 자동 사냥.

어느새 킬리언스투도 30레벨을 넘겼다. 경험치를 쥐똥만큼 주는 고원 멧돼지였지만 2주 넘게 사냥을 돌리니 꾸역꾸역 레벨이 오른다.

'뭐 슬슬 한계지. 애초에 바람막이 고원은 30레벨대가 놀 만한 사냥터도 아니고.'

그러나 컬렉션 보너스와 영웅 등급의 클래스를 갖추고 있는, 거기에 더해 고급 등급의 시작 세트까지 가진 아르데니아의 나와 다르게, 리벤지의 내 캐릭터들은 일반 장비에 일반 클래스를 가지고 있다. 완성한 컬렉션도 일반 아이템으로 채울 수 있는 기본적인 것들이라 레벨보다 훨씬 더 약하다.

애초에 리벤지는 그냥 게임을 오래한다고 강해지는 그런 게임이 아니다.

'아마 몇 달 더 자사를 돌려 레벨이 40이 되어도 바람막이 고원에서 벗어날 수 없겠지.'

그렇게 생각하며 붕대를 푼다. 여전히 손톱은 없지만

꽤 양호해진 손가락이 보인다. 팔의 상태도 회복되어 팔을 움직이는 데 아무런 문제가 없다.

게임 속 캐릭터처럼 마구 HP를 채울 수는 없더라도 힐링과 회복력은 틀림없이 효과를 발휘하는 듯했다.

다만 게임에는 없는 문제점이 있었다.

"배가 고프네……."

배에 구멍이 뚫리기라도 한 듯 끔찍한 허기가 밀려온다. 아무래도 자유 스텟으로 육체를 강화했기 때문인 것 같았다.

'하지만 여기에서 밥을 먹을 수는 없어.'

뭔가 특별한 이유가 있어서 그런 건 아니다. 당연히 밥이야 느긋하게 식사할 수 있는 현실에서 먹는 게 낫지.

그저, 돈이 없다.

"아, 돈 없어 죽겠네. 진짜."

때문에 문을 열고 식당을 향해 걷는 대신 마우스를 딸깍여 킬리언스투를 상점으로 이동시켰다.

그리고 그곳에서 [요리] 탭을 클릭, 음식을 구매했다.

가격을 보니 절로 치가 떨린다.

"무슨 요리가 1000골드나 해?"

아르데니아에서 1골드면 그럭저럭 괜찮은 한 끼 식사를 할 수 있다. 원화로 환산하면 대략 만 원 정도의 가치라고 할 수 있겠지. 그런데 1000골드라니.

리벤지 안에서 음식이 생존을 위한 필수 요소가 아니라 버프 아이템, 그러니까 사치템임을 증명하는 가격이라 할 수 있다.

"하. 멧돼지 구이를 할 수 있으면 문제가 없는데."

그러나 요리 콘텐츠를 활용하기에 리벤지의 나는 너무 가진 게 없다.

요리 콘텐츠는 메인 재료 하나만으로 끝나지 않으니까.

멧돼지 뒷다리는 잔뜩 쌓여 있지만, 그걸 요리로 만들려면 암영광산의 골렘(고급)들을 잡아야 나오는 암염 조각과 제작비 300골드가 필요하다. 정말이지 공짜가 없다.

당장 생고기를 씹어 먹을 수도 없으니 당장은 사 먹는 게 나으리라.

"로그인."

"허억…… 허억…… 괜찮으십니까, 영주님?"

아르데니아로 들어오자 수십 마리나 되는 늑대 마수의 시체가 눈에 들어온다. 죽으면 아이템만 남기고 사라지는 오크 전사와 다르게 그들의 육체는 싸늘한 들판 위에서 더운 김을 뿜어내고 있다.

"보다시피 멀쩡하다. 네 몸 걱정이나 해."

"허억…… 저는…… 괜찮습니다. 영주님께서 내리

신…… 신비한 힘이, 위험할 때마다 목숨을 지켜 주고…… 있습니다. 헉헉.”

당장이라도 숨이 넘어갈 듯 허덕이는 스틸스톤의 모습을 보다 인벤토리에서 샌드위치를 꺼내 먹었다.

[샌드위치(일반)를 섭취하였습니다! 1시간 동안 생명력, 회복력이 5포인트 상승합니다!]

동일한 알림이 세 번 울렸다. 내가 샌드위치를 마구 입에 욱여넣었기 때문이다. 당연히 버프는 중첩되지 않고 갱신만 되었지만 어쩔 수 없다.

샌드위치는 버프 때문이 아니라 배를 채우려고 먹은 것이니까.

“로그아웃.”

다시 지구로 돌아와 입에 욱여넣었던 샌드위치를 천천히 씹어 먹는다.

물도 마시고 천천히 소화시킨 후 다시 로그인. 같은 방식으로 샌드위치를 9개나 먹었다. 킬리언스투 하나로는 골드가 모자라서 본캐인 킬리언스까지 동원해야 했다.

그렇게 허기를 해결한 나는 가볍게 스트레칭해 몸을 풀고 아르데니아로 들어갔다.

“로그인.”

깔끔한 원룸이 사라지고 늑대 시체로 가득한 전장의 모습이 드러난다. 100마리에 가깝던 오크 라이더는 이제 10여 마리밖에 남지 않았다.

"전투 중에, 헉. 그렇게 드시다니…… 후우."

"넌 호흡이나 골라라."

이제 스틸스톤도 레벨 업을 꽤 했으니 여유가 된다면 자유 스텟을 체력에 찍게 하고 싶었지만 상황이 상황인지라 그럴 여유가 없다.

"크르륵…… 인간 놈."

"아, 드디어 나서나? 나 기억해?"

여태껏 이각늑대의 등에 탄 채 전투를 지켜보기만 하던 오크 투사가 앞으로 나선다.

"기억하냐고? 그래. 우리 형제들을 수백이나 죽였다는 말은 많이 들었지."

"아, 그래?"

아무래도 녀석은 내가 초면인 모양. 나는 녀석의 머리 위를 살폈다.

발칸 오크 투사(희귀)

함롬

'그때 그놈이 맞는데.'

녀석이 날 기억하지 못하는 상황 자체는 별로 놀랍지 않다. 죽고 살아나면 기억이 사라질 수도 있다고 짐작했기 때문이다.

그러나 대뜸 달려들었던 전과 성향마저 달라 보이는 건 의외였다.

'죽었다 살아나면 내용물도 바뀌나?'

그러나 그런 느낌은 아니었다.

뭔가가…… 녀석의 [야성]을 통제하는 그런 느낌.

"스틸스톤."

"네, 영주님."

"이거 마셔라."

나는 인벤토리에서 10개 뭉치짜리 HP포션(일반)을 꺼내 던져 주었다. 그리고 즉시 말했다.

"힐."

은은한 빛이 스틸스톤을 휘감자 상처 가득하던 녀석의 몸 상태가 양호해진다.

"인간! 잔수를!"

가만히 지켜보던 오크들이 상처를 치료하는 우리 모습에 괴성을 지르며 덤벼든다.

나는 시작의 검을 중단으로 들고 등 뒤로 말했다.

"지금까지처럼만 해라, 스틸스톤. 체력을 최대한 보존하고 적을 해치우기보다 버티는 데 중점을 둬."

"하하. 죽을 자리라고 생각하고 왔는데…… 네, 영주님. 전력을 다해 살아 보지요."

그 말을 마지막으로 달려온 오크 투사, 함롬과 충돌한다.

까앙!

[패링 성공!]

우열은 바로 드러났다.

"큭! 이게 무슨?!"

필사적으로 자세를 수습한 함롬이 두어 발짝 뒤로 물러선다. 녀석을 태우고 있던 이각늑대가 휘청거리는 바람에 하마터면 넘어질 뻔한 것이다.

물론 물러선 것은 나 역시 마찬가지지만…… 녀석과 내 덩치 차이, 기승수의 유무를 생각해 보면 그야말로 믿을 수 없는 결과다.

"뭐."

나는 시작의 검을 아래로 늘어트리며 웃었다. 감히 무기를 맞대지도 못하고 눈물의 똥꼬쇼를 했던 나는 이제 없다.

"별거 없구먼."

"네놈-!"

재차 충돌한다. 검과 도끼가 충돌하고 녀석을 태우고 있는 이각늑대가 날 물어뜯겠다고 입질을 해 댄다.

그러나 소용없다.

인간을 초월한 근력, 보정받고 있는 민첩, 가속된 공격 속도는 내게 있어 그저 스텟의 상승이 아니다.

지금껏 전투 감각에 훨씬 못 미치던 육체 능력이 드디어 제자리를 찾은 느낌. 평생을 외팔, 외다리로 살다가 드디어 온전한 몸을 가지게 된 것 같은 이 감각!

쩍!

시작의 검이 함롬의 왼팔을 자르고 지나간다. 치명타는 뜨지 않는다. 치명적인 부위가 아니기 때문이다.

그러나 적과 싸우다가 한 팔이 날아갔는데 어찌 그게 치명적이지 않을 수가 있을까? 싸움은 이미 끝난 것이나 다름없다.

"인--- 간!"

"그래, 오— 크야!"

쩌엉!

카득!

다시 검격을 나누는 순간, 거친 전투를 이겨 내지 못한 시작의 검이 반으로 쪼개진다.

여섯 번이나 강화된 고급 등급의 검은 녀석이 들고 있는 도끼보다 월등히 강력한 무기였지만 내공의 보호를 받는 녀석의 도끼와 다르게 오직 힘으로 휘두르고 있기에 벌어진 참사.

그리고 그 모습에 절망에 잠겨 있던 함롬의 눈에 희열이 깃든다.

나는 녀석에게 반절만 남은 시작의 검을 집어던졌다.

깡!

함롬은 도끼를 휘둘러 그걸 쳐 냈고.

“크하하! 인간! 무기 간수도 제대로 못-!”

퍽!

[치명타!]

인벤토리에서 꺼낸 뼈 장검(일반)에 목을 꿰뚫렸다.

“끄륵…… 네…… 놈!”

함롬은 뼈 장검에 목을 꿰뚫린 채로도 최대한 버둥거렸다. 도끼를 휘두르려 들었고 이각늑대를 몰아 날 물게 시키려 들었다.

집념이 느껴지는 살의였지만…… 멀쩡한 상태에서도 실패한 시도가 이제 와서 될 리가 없다.

쿵!

마침내 함롬이 쓰러지고 나는 녀석을 태우고 있던 이각늑대마저 죽였다. 레벨 업은 없다.

희귀급 몬스터인 오크 투사는 일반 오크와 비교도 안 되는 수준의 경험치를 주지만, 레벨이 어느 정도의 선을 넘어가면 필요 경험치가 답도 없이 높아지기 때문이다.

"대장!"

"인간 놈!"

함롬이 쓰러지자 몇 남아 있던 오크 전사들이 덤벼들었지만 오히려 더 쉽게 쓰러트렸다. 이제 고급 몬스터들 따윈 내 상대가 아니다.

"이겼…… 군요. 후우…… 뒤에 서 있었을 뿐인데 이렇게 힘들다니."

나는 헐떡이고 있는 스틸스톤에게 다가가 확인했다.

"시야에 뭔가 이상한 것들이 보이겠지?"

"네, 영주님. 시야의 테두리를 원형으로 이루어진 띠가 두르고 있는데……."

스틸스톤이 손짓발짓해 가며 자신이 보는 바를 설명했다.

'역시 인터페이스는 가상 현실 기준이네.'

리벤지는 모바일로도, pc로도, 접속기로도 돌릴 수 있는 크로스 플레이(Cross Play) 기반의 게임이다.

모바일로 게임을 하다 들어오면 시야 한편이 모바일처럼 보이고 PC로 게임을 하다 들어오면 PC 화면이 보이는 나와 다르게, 다른 사람들은 가상 현실 기준으로 고정인 모양이다.

"그보다 드랍 템들이나 봐야겠다."

나는 발걸음을 옮겨 여기저기 굴러다니는 장비들을 파밍했다.

오크 전사의 검(고급)

오크 파워 건틀릿(고급)

무기 강화 주문서

방어구 강화 주문서

오크의 도끼(일반)

오크족 인장(판매용)

철

힐링 포션

"오, 고급템이 2개나."

아이템을 죄대 인벤토리로 때려 넣으며 웃는다. 이 망할 오크 놈들을 잡아도 고급템이 나오는 꼴을 못 봤는데 한 자리에서 2개나 먹다니 운이 좋다.

그리고 마지막으로 오크 투사가 드랍한 아이템.

룬스톤 귀걸이(고급)

"아, 역시 희귀는 안 나오나."

희귀 몬스터인 오크 투사의 드랍 테이블에는 희귀급 아이템이 다수 존재했지만 드랍 테이블에 있다고 그게 꼭 드랍되는 것은 아니다.

누누이 말하지만 리벤지는 희귀 아이템이 드랍되면 월드 메시지가 뜨는 게임이다.

"뭐 어쨌든."

나는 즉시 인벤토리에서 [액세서리 강화 주문서]를 꺼냈다. 사료로 받은 것이다.

[룬스톤 귀걸이(고급) 강화에 성공했습니다!]

[룬스톤 귀걸이(고급) 강화에 성공했습니다!]

[룬스톤 귀걸이(고급) 강화에……]

삽시간에 룬스톤 귀걸이는 룬스톤 귀걸이+6가 되었다. 나는 그걸 귀에 달았다.

귀걸이의 효과로 생명력이 2(+3)포인트, 마나가 2(+3)포인트 오른다. 스텟 보너스는 하나도 없던 시작의 세트보다 오히려 체감되는 성능이다.

"아, 맞아. 시작의 검."

나는 바닥을 뒹굴고 있던 반토막짜리 검을 주워 들었다. 어이없게도 시작의 장검(고급)+6의 내구도는 8/17이다.

"칼이 반 토막이 됐는데 뭔 내구가 이렇게 많이 남았어?"

아무래도 이것 역시 게임이 현실에 적용되며 발생한 오류인 모양인데 문제는 따로 있다.

"수리는 할 수 없네."

리벤지 안에서야 대장장이 NPC에게 수리를 맡기면 그만이지만 여기에서는 그럴 수 없다. 즉시 수리권 같은 아이템도 있지만 캐시 아이템.

결국 나는 동강 난 시작의 검을 허공에 던졌다. 내다 버린 건 당연히 아니었다.

[시작의 장검(고급)+6이 컬렉션에 등록되었습니다.]

내가 던진 반쪽은 물론이고 바닥을 굴러다니던 나머지 반쪽도 지워지듯 세상에서 사라져 버린다,

[시작하는 모험가의 장비 : 최대 소지 무게 +5킬로그램]

[1/6만큼 등록됨]

'이걸로 주력 무기가 사라졌군.'

그러나 문제는 없다.

[오크 전사의 검(고급)]
무기 데미지 +12
근력+1 체력+1 치명타 확률 +10%
재질 : 철
무게 : 2.7킬로그램

나는 [무기 강화 주문서]로 오크 전사의 검을 6강까지 강화했다. 오크 전사의 검은 무기 데미지가 +12(+6), 스텟 보너스가 근력+1(+3), 체력(+3)까지 올랐다.

7강부터는 강화 효과가 높아지지만 장비가 깨질 확률(50%)이 발생하기 때문에 시도하지 않았다.

[무기 강화 주문서]와 [방어구 강화 주문서]는 사료로도 꽤 뿌리고 골드로도 구매할 수 있기 때문에(캐릭당 최대 10개) 넉넉히 가지고 있지만, 고급 등급의 장비는 그렇지 않기 때문이다.

"앗! 성공했습니다!"

박살 난 히터 실드도 내버리고 바위에 걸터앉아 있던 스틸스톤이 환히 웃는 모습이 보인다.

"스텟 찍었어?"

"네, 영주님. 생각만큼 어렵지는 않더군요. 자유 스텟 30포인트 중 10포인트를 근력에 20포인트를 체력에 투자했습니다."

이번 전투로 스틸스톤은 23레벨이 되었다.

'꽤 많이 넘겨 준 것 같은데…… 가호가 크긴 크군.'

아쉬움에 한숨 쉬지만 어쩔 수 없는 일이다. 여신의 가호가 없는 녀석은 700% 경험치 보너스를 받지 못하니 효율이 떨어질 수밖에 없는 것.

"그나저나 이것들은 다 뭡니까? 직업에, 스텟에, 레벨에…… 이것들에 대해 영주님은 뭔가 알고 계신 듯 보입니다."

당연한 의문이다. 자연스러운 물음이고.

하지만 내가 아는 사실 그대로를 알려 주기는 어렵다.

'게임이라는 개념 자체를 이해시키기 어려울 거야.'

꽤 어려운 문제였지만 나는 금방 결정 내릴 수 있었다. 어차피 게임 같은 일이 많은 것이 요즘 현실 아니던가?

무엇보다 내가 살고 있는 34지구의 신은 위대하고 위대한 게임 마스터.

게임 마스터의 영역에서 살고 있는 나에게 설명할 말을 만드는 것 따윈 어려운 일이 아니었다.

"이것은 반대급부다."

"……네?"

예상하지 못한 답에 의문을 표하는 스틸스톤을 보며 설명했다.

"우리 영지에 던전이라는 게 생겨나고 저 오크라는 것

들이 튀어나왔지. 그리고 그건 우리 영지만의 일이 아니다. 대륙에 존재하는 모든 용맥에 마찬가지의 일이 일어났을 것이다."

오크조차 감당하지 못해 영지를 버리고 후퇴하는 중이지만…… 사실 오크는 그렇게 강한 몬스터가 아니다.

일반, 고급, 희귀, 영웅, 전설, 신화.

고급 단계의 오크들은 결국 중하급 몬스터이며 변방의 강자일 뿐이다. 리벤지 홈페이지에서 확인한 바에 따르면 바둑판 모양의 대륙 중앙으로 갈수록 몬스터의 등급이 높아진다.

'인간 세력 역시 대륙 중앙으로 갈수록 커지고 번성해 있지만…….'

그러나 그래 봐야 고레벨의 몬스터를 감당할 정도는 아니다. 아마 대륙 중심부에 있는 강대국들 모두가 멸망의 위기를 마주하거나 산산이 찢어진 상황일 것이다.

"인류 최후의 보루인 용맥을 잃게 된다…… 난세가 시작되겠군요. 어쩌면 인류 전체가 종말의 기로에 서게 된 걸지도 모르고요."

"그래. 하지만 절망만 있는 것은 아니다."

나는 흔한 클리셰대로의 이야기를 해 주었다.

왜 그런 스토리들이 있지 않은가? 어느 날 갑자기 게이트가 열리고 몬스터가 쏟아져 나오고. 그래서 인류가 멸망의 위기에 처했을 때 특이한 힘을 각성하는 자들이 나타나는 그런 이야기.

지겨울 정도로 흔한 클리셰지만 클리셰가 클리셰가 된 데에는 그만한 이유가 있기 마련이다.

"이 힘이 정확히 무엇인지는 나도 모른다. 그저 활용할 방법을 찾았을 따름이지. 던전과 몬스터들의 반대급부로써 인간에게 주어진 힘이라 생각한다."

"반대급부……."

스틸스톤은 진지한 눈으로 쓰러져 있는 늑대 마수들의 시체를 바라보았다.

그리고 그때였다.

[골고르 평야에서 알테인 님이 헤비 웨 엑스(희귀)를 획득하였습니다!]

"골고르 평야라면…… 신성제국의 지명이로군요."

"그래. 그리고 알테인도 익숙한 이름이야."

"네. 황금사자단의 기사단장입니다."

"제국기사(Imperial·Knight)."

"네. 제가 얻게 된 직업이기도 하지요."

[머스킷티어]나 [캐노니어]같이 아직 아르데니아에 존재하지 않는 직업도 있지만.

반대로 역사와 전통을 가진 직업들 역시 존재한다.

제국기사 역시 그런 존재다.

'그나저나 운도 좋네. 벌써 희귀템을 먹는다고?'

심지어 나 말고 다른 사람들은 여신의 가호도 없어서 드랍률이 똥망일 텐데 어찌 이럴 수가 있단 말인가? 아르데니아 어딘가에 나와 같은 케이스가 더 있다는 말일까?

그러나 잠시 생각해 보니 꼭 그렇지도 않다는 걸 알 수 있었다.

'많이 잡으면 된다.'

던전에서 나온 몬스터를 꼭 레벨과 클래스가 있어야만 잡을 수 있는 것은 아니다. 당장 나만 해도 클래스 없이 오크 투사를 잡아 죽이지 않았던가?

게다가 용맥과 영맥에서 멀리 벗어나지 못하기에 영지민의 숫자를 불리기 힘들었던 변방과 다르게, 대륙 중앙부에 있는 제국들은 마수들을 박멸하고 모든 땅을 인간의 영역으로 삼았다.

명 제국의 100만 대군.

신성제국의 백색기사단.

크리스털 연맹의 레인저들.

아르데니아 대륙은 로우 파워 판타지지만 인간들은 없으면 없는 대로 세력과 힘을 키우는 존재다.

진짜 강자가 없다 해서 무시하면 안 된다. 내 영지와 다르게 충분한 군세를 갖추고 있는 그들은 몬스터들과 [전쟁]을 하고 있을 테니까.

그리고 그렇게 수천수만의 사상자가 발생하는 대단위 전투가 벌어진다면, 확률적으로 희귀급 아이템이 떨어져도 이상할 게 없다.

"크— 헝— 헝!"

무지막지한 포효에 나와 대화를 나누고 있던 스틸스톤이 벌떡 일어난다.

"이 소리는……!"

"미친. 늑대왕이잖아? 영맥 근처인데 늑대왕이 온다고?"

브론즈 소드 영지에 사는 이라면 모를 수가 없는 존재다. 킬리언스 산맥의 지배자, 삼각(三角)의 주인.

늑대왕, 아칼란.

한 마리를 상대하려 해도 군대가 필요하다는 천인마수의 이름이다.

"그런데…… 울음소리가 좀 이상하지 않아?"

내 말에 대답하듯 아칼란의 울음소리가 들렸다.

"깨앵!"

언덕 너머에서 들려오는 외마디 개 소리에 우리는 잠시 서로를 바라보다 부지런히 움직여 언덕 위로 올라갔다.

그리고 보았다.

"서라!"

콰자작!

검을 휘두르자 십수 그루의 나무들이 수수깡처럼 잘려 나간다.

그 간격 안에 걸린 늑대왕은 그 튼튼한 가죽의 힘으로 살아남았지만, 그렇다고 타격이 없을 수는 없다.

"캐캥!"

피부까지 뜯겨 나가며 한 움큼의 털이 바람에 흩날린다. 충격에 바닥을 몇 바퀴나 구른 늑대왕이 사력을 다해 몸을 일으키더니 뒤도 돌아보지 않고 달아나는 모습이 보인다.

"이 고집불통! 내가! 친구! 하자고! 하잖아!"

그리고 그 뒤를.

한 명의 오크가 뒤쫓고 있다.

"말도 안 돼. 늑대왕이……."

기막혀하는 스틸스톤의 옆에서 나는 이를 악물었다.

발칸 오크 대장군(영웅)

칸 슬래셔

"이런, 미친."

욕이 절로 나온다.

“소드 마스터라고?”

지구에서도 흔치 않은, 군에 들어가면 소령부터 시작할 수 있는 완성자급 내공 사용자가 거기에 있었다.

“네? 소드 마스터라니. 영주님, 그런 건 전설에서나 나오는 단어입니다.”

스틸스톤의 말에 고개를 끄덕인다.

“그래. 하지만 스틸스톤, 어렵더라도 빠르게 적응해야 한다.”

달아나는 늑대왕과 녀석을 추격하는 소드 마스터를 보다 몸을 돌린다.

“이제는 그 전설과 신화가 우리가 살아가야 하는 세상일 테니까.”

chapter3.

과금과 삭제

chapter3.
과금과 삭제

나는 영지민들을 이끌고 북으로, 다시 북으로 5일 내내 걸었다.

함롬의 죽음을 마지막으로 추격이 끊겼고 무한히 튀어나오는 멧돼지 다리 덕분에 식량도 넉넉해 영지민들의 상태는 나쁘지 않다.

아니, 오히려 좋아지고 있다.

"영지민들 얼굴에 살이 오르는군요. 체력도 점점 좋아지는 게 느껴집니다."

"영지에 있을 때보다 더 잘 먹고 잘 자고 있으니."

영지민들은 해가 완전히 뜬 다음에나 일어나 푸짐하게 아침을 먹고 4시간 동안 북쪽을 향해 걸었다. 무리하게 행군했던 요 며칠과 다르게 아이들도 문제없이 따라갈 수 있을 정도의 속도.

점심이 되면 다시 푸짐하게 식사를 한다.

미리 파악하고 있던 수원에서 물을 길어다 고깃국을 끓이고 근처에서 먹을 수 있는 나물이나 과일들을 채집하다 보니 식사에 소모되는 시간은 최소 2시간 이상.

식사가 끝나면 다시 4시간 동안 걷는다.

그러다 보면 어느새 저녁. 역시나 푸짐하게 먹고 잠자리를 준비한다. 잔뜩 있는 가죽들로 코트 겸 덮개를 만들어 입는다.

그리고 그렇게 5일을 걷자…… 패잔병이나 다름없던 영지민들의 행색이 변해 간다.

북쪽을 향해 걷는 영지민들의 얼굴에 혈색이 돌고 잘 먹고 부지런히 움직이는 몸에는 체력이 붙었다.

그뿐이 아니다.

어느새 천 명의 영지민 전원이 멧돼지 가죽으로 만든 가죽 코트를 걸치게 되었다. 리벤지에 드랍되는 멧돼지 가죽은 이미 무두질이 끝나 있었기에 어렵지 않은 일이었다.

영지민과 병사들을 통틀어 가장 골격이 크고 체력이 좋은 이들에게는 가죽방패(일반)와 뼈 장검(일반)이 주어졌고 그보다는 못한 사내들에게는 뼈 장검과 뼈 단검(일반)이 주어졌다. 여성과 노인, 그리고 아이들도 뼈 단검 하나쯤은 품고 있다.

"혹시 브론즈 소드 남작령에서 오셨습니까?"

"그래. 한 브론즈 소드 남작이다."

"역시 그렇군요. 뵙게 되어 영광입니다, 영주님."

두 기사와 함께 목책으로 둘러싸인 마을, 목성촌(木城村)에 들어온 내게 고개를 꾸벅 숙인 촌장이 묻는다. 한껏 긴장한 태도다.

"그런데 어째서 군대를 이끌고 북상하시는 겁니까?"

"군대?"

나는 촌장의 말에 무심코 뒤를 돌아보았다. 갈색 코트를 걸친 1000명의 영지민들이 눈에 들어온다.

"아, 그렇게 보일 수도 있겠군."

통일된 제식, 통일된 복장을 갖춘 그들의 모습은 누가 봐도 군대의 그것이다. 물론 군대와 다르게 여성과 노인, 그리고 아이가 섞여 있지만 무리의 중앙부에 섞여 있기에 잘 티가 나지 않는다.

"너희는 대륙의 상황을 전혀 모르는 모양이군."

내 말에 촌장의 얼굴이 굳는다. 그는 넙죽 고개를 숙이며 말했다.

"고견을 들려주신다면 최선을 다해 보답하겠습니다."

정중하나 결코 비굴하지 않은 태도에 내심 감탄한다.

'이야기는 많이 들었지만 제법이네. 하긴 변경에서 이

만한 규모의 마을을 운영할 정도니 보통은 아니겠지.'

이 중세 랜드에서 '바른 정보'의 가치는 금과 같이 중하다. 한마디 말을 듣기 위해 거금을 치르거나 진짠지 아닌지 알 수 없는 소문을 듣기 위해 밥 한 끼를 사야 하는 세상.

나는 그에게 말했다.

"그래도 허공에 떠오른 글자 정도는 봤겠지?"

"물론입니다, 영주님. 골고르 평야에서 알테인이 헤비웨 엑스라는 걸 얻었다고 하더군요. 무슨 뜻인지는 알기 어려웠습니다만."

그의 말에 나 역시 생각을 정리할 수 있었다.

'용맥에 위치하지 않은 영지나 마을이 얻을 수 있는 정보는 그 정도라는 말이군.'

모든 용맥에는 영지나 도시가 위치해 있지만, 그렇다고 모든 영지나 도시가 용맥에 자리하고 있는 것은 아니다.

용맥과 용맥 사이의 거리는 100킬로미터.

변방을 벗어나면 용맥과 용맥 사이에도 영지가 몇 개나 존재하고 영맥과 용맥에서 멀리 떨어진 도시 역시 얼마든지 존재한다.

심지어 모든 마수가 구제(驅除)된 용맥 네 개로 이루어진 정사각형의 국가마저 있을 정도니까.

"여기에서 본 공지는 그것뿐인가? 특이한 괴물을 본 적은 없고?"

"동쪽과 서쪽에 마련한 순찰로에서 일단의 늑대 무리가 북쪽으로 이동하는 것을 목격했다고 보고해 왔습니다."

"밀려난 녀석들이군."

"역시…… 그렇습니까?"

킬리언스 산맥 같은 변방은 모든 마을이 영맥 위에 위치한다. 용맥만큼은 아니어도 영맥 역시 마수들이 잘 접근하지 않는 장소이기 때문이다.

"간단히 설명해 주지."

나는 촌장을 비롯한 마을 사람들에게 상황을 설명해 주었다.

용맥이 위치한 장소에서 [던전]이라는 게 생겨나고 그 안에서 마수를 압도하는 괴물이 십만 단위로 쏟아져 나왔다.

짐작컨대 이 현상은 대륙의 [모든] 용맥에서 벌어졌을 것이고, 대륙 중앙부로 갈수록 괴물들의 힘이 더 강하다.

"우리 역시 영지를 버리고 탈출해야 했다. 아마 수많은 국가가 멸망하고 어쩌면 제국조차 무너지고 말겠지. 이곳은 변방에 불과하지만…… 마을을 유지하기 위해서는 충분한 준비가 필요할 것이다."

"그런……."

"뭐, 그런 김에 거래를 하고 싶군."

나는 영지민들을 마을에 들였다. 1000명이나 되는 규모 때문에 촌장이 거부하고 목책을 닫지 않을까 생각했지만 촌장은 그러지 않았고 영지민들은 오랜만에 지붕이 있는 집에서 잘 수 있었다.

"이만한 양의 고기에 가죽이라니. 이렇게 후하게 주셔도 괜찮겠습니까? 고작 수레 스무 대에 마차 몇 대, 그리고 생필품과 조미료 정도인데요."

"줄 만하니까 주는 거니 받아라. 그리고 이것들도 받아."

그렇게 말하며 고갯짓하자 뒤쪽에 있던 병사들이 미리 꺼내 놓았던 아이템들을 내려놓았다. 그 구성품들을 본 촌장의 얼굴이 굳어진다.

"무기를…… 주신다고요?"

"그래. 각각 300자루다."

고작 일반 등급에 불과하지만 뼈 장검과 뼈 단검의 예리함과 강도는 그리 나쁘지 않으니 촌장이 놀라는 것도 무리는 아니다. 아르데니아 같은 야만의 대륙에서 무기의 가치가 특히나 높다는 것을 생각하면 더욱 그러하다.

"온 대륙이 혼란에 빠질 것이다. 살아남으려면 힘이 필요하겠지."

나는 인벤토리에 잔뜩 들어차 있던 장비들과 멧돼지 뒷다리, 가죽 등을 마을에서 모조리 정리했다.

대신 마을로부터 온갖 생필품과 목재, 마차, 말과 노새 등을 받았다.

심지어 우리는 몬스터를 잡아 얻은 골드도 잔뜩 가지고 있었다.

"달라니 주지만 앞으로 골드의 가치가 폭락할 거라는 사실을 말해 주고 싶군."

"국가들이 무너지기 때문입니까?"

"그것도 그렇지만 새롭게 모습을 드러낸 몬스터들을 죽이면 골드가 떨어진다는 게 문제다."

내 말을 이해하지 못한 듯 촌장이 고개를 갸웃거린다.

"괴물들이 돈을 가지고 다닌단 말입니까?"

"비슷하지만 조금 다르다. 뭐, 겪어 보면 알겠지."

그렇게 이야기를 끝내자 병사들을 지휘하고 있던 헌드레드 실버소드가 다가와 보고한다.

"마차는 충분한데 말이 모자랍니다."

"아, 그거라면 문제없다. 스틸스톤."

"네, 영주님."

"끌어."

"……?"

"……?"

"……?"

내가 산더미처럼 짐을 실은 마차를 가리키자 주위에 있

던 사람들 모두가 뭔 헛소리를 하느냐는 표정으로 나를 보았다.

본의 아니게 갈고리 수집가가 되어 버렸지만 다 이유가 있다.

"이제 그쯤 해야 단련될 거다. 끌어."

"그러고 보니…… 가능하겠군요. 알겠습니다, 영주님."

"아니, 스틸스톤 경, 지금 무슨 말을 하고 있는 겁니까? 저 마차는 말 두 마리가 끌어야 하는 사이즈입니다."

황당해하는 헌드레드.

그리고 마을을 떠나 한참 후.

황당해하던 그의 얼굴이 점점 경악으로 굳어진다.

덜컹덜컹.

마차가 움직인다. 영지민들의 발걸음보다 오히려 빠른 속도다.

심지어 스틸스톤은 그렇게 몇 시간을 걸어도 지친 기색을 보이지 않았다. 당연한 일이다.

[임페리얼 나이트(영웅)]

근력+80 민첩+40 체력+80 생명력+160 마나+40

[받는 피해 50% 감소]

[불굴]

원래도 충분히 단련되어 41포인트의 근력을 가지고 있던 스틸스톤은 80의 클래스 보정과 10포인트의 자유 포인트 사용으로 131포인트의 근력을 가지게 되었는데, 이건 고작 2마력 따위에 비할 바가 못 된다. 단순 계산으로 보자면 4인력(人力)을 조금 넘는 정도겠지만 스텟 포인트는 100포인트마다 격을 넘어서기 때문이다.

어디 그뿐인가?

그는 레벨 업 보너스로 받은 자유 스텟 중 태반을 체력에 투자했고 체력 역시 근력과 마찬가지로 80포인트의 클래스 보정을 받고 있다.

거기에 스틸스톤은 오러 유저이기까지 하다.

녀석은 내가 외우고 있던 역근세수경(易筋洗隨經)의 유일한 수련자.

지구에서야 도서관에도, 마이튜브에도 굴러다니는 역근세수경이지만 이 중세 랜드에서는 얻기 위해 전쟁이 일어나도 이상할 게 없는 신공절학이다.

그가 성인이 다 된 다음 입문해서 그렇지, 10년만 빨리 입문했어도 나를 뛰어넘는 강자였을 것이다.

"아니…… 이게 무슨."

스틸스톤이 마차를 끄는 모습에 황당해하던 헌드레드는 몇 시간이나 마차를 끌고도 멀쩡해 보이는 스틸스톤의 모습에 신음했다.

있을 수 없는 일이기 때문이다.

"말도 안 돼. 아무리 대단한 수련법이라도 이렇게 오랫동안 오러를 사용할 수는 없어……."

"스틸스톤은 오러를 쓰지 않았어. 이건 육체 능력이다."

"그건, 더더욱 말이 안 됩니다. 인간의 한계를 벗어난 일이에요."

인간의 신체 능력에는 한계가 있다. 아무리 좋은 식단과 커리큘럼, 사력을 다한 단련을 수행해도 인간의 육체는 일정 선을 넘어서지 못한다.

인간이라고 하는 종(種)의 한계.

'그것을 넘어설 수 있는 방법은 마나뿐이지.'

오직 마나.

오로지 마나만이 인간이 인간을 초월하도록 만든다. 다 늙어서 쭈글쭈글한 노인이 주먹질 한 방에 산을 무너트리고, 아무런 준비물 없이 공간을 넘게 만들며, 핵폭발 속에서도 낮잠을 자고 우주 공간을 날아다닐 수 있게 만든다.

그런데 마나를 사용하지 않고 인간을 초월한 신체 능력을 가질 수 있다 말한다면?

모두가 입을 모아 외칠 것이다. 그것은 사기나 속임수일 것이라고.

'그러나 방법이 없는 건 아니지.'

34지구에 살고 있는 위대한 게임 마스터와 대우주에서도 극히 드물다는 신적 존재들에 대해 알고 있는 난 세상에 마나를 초월한 상위의 힘이 존재한다는 것을 알고 있다.

'권능(權能)과 은총(恩寵).'

물론 말로만 들었지 그 과정에 대해서는 정확히 아는 바가 없다. 한때 내 한계를 뛰어넘기 위해 권능과 은총을 간절히 갈구했지만 결국 그것들 중 어떤 것에도 닿지 못했기 때문이다.

그러나 워프의 원리를 몰라도 배달을 시켜 먹을 수 있고 TV의 원리를 몰라도 채널을 돌릴 수 있는 것처럼, 내가 이용할 수 있는 것이 있다면 이용하는 것이 당연하다.

"헌드레드, 세상이 격변한다는 사실을 알고 있을 것이다."

"……그렇습니다."

"그리고 넌 그 상황을 더더욱 잘 알고 있겠지? 실버소드 가문쯤 되면 본가에서 긴급 정보를 받을 수단 정도는 있을 테니까."

태연한 내 말에 혼란에 빠져 있던 헌드레드의 얼굴이 돌처럼 딱딱하게 굳었다.

태연한 내 말에 혼란에 빠져 있던 헌드레드의 얼굴이

돌처럼 딱딱하게 굳었다. 나는 잠시 그 모습을 바라보다가 나직한 목소리로 말을 이었다.

"내가 맞혀 볼까? 아마 왕국의 수도인 지마일이 던전에서 쏟아져 나온 몬스터들에게 파괴되고 우리처럼 후퇴한 사람들이 용맥에서 벗어나 투쟁 중이겠지. 그리고 실버소드 가문의 전력이 모인 위치를 알려 주고 모든 기사들에게 집결 명령을 내렸겠지."

내 영지의 주민들은 대부분 기댈 곳 없는 이들이었다. 가혹한 세금을 피해 영맥에 숨어 살던 화전민, 칼끝에 목숨을 매달고 살아가는 용병, 권력자들에게 밉보여 떠돌아다니던 방랑자들까지.

나는 그들 모두를 모아 엄격한 규율을 가진 용병단을 만들었고 싸우고 싸워 끝내 영지를 얻어 품기에 이르렀다.

때문에 브론즈 소드 남작령에 살고 있는 영지민들의 충성심은 다른 영지들과 비교할 바가 못 된다. 내가 직접 구하고, 이끌고, 보듬어 온 내 사람이기 때문이다.

'거지같은 오크 놈들.'

문득 그렇게나 귀중한 영지민이 3분의 2나 죽었다는 사실이 떠오른다.

2000명.

치가 떨리고 속이 부글부글 끓어오르는 피해다. 느닷없

이 현실로 돌아가게 되면서, 또 상상도 못 한 기연을 얻게 되면서 힘을 내게 되었지만…… 만약 그렇지 못했다면 아무리 나라도 꽤 좌절했을 것이다.

"……오해십니다, 영주님."

"뭐가 오해지?"

영지민의 대부분은 나를 따르는 내 사람이지만 그렇지 않은 이들도 있다.

'기사와 마법사, 그리고 그들에게 딸려 온 병사들.'

우리 영지에는 두 명의 기사와 한 명의 마법사가 있지만 그들 중 내가 임명한 이는 스틸스톤뿐. 나머지 두 명은 내 가신이라기보다 크롬 왕국에 충성하는 이들이다.

명분이야 실력자가 모자란 브론즈 소드 남작령을 지원하는 것이지만…… 그들의 목적이 감시와 보고라는 건 두말하면 입 아픈 이야기다. 나는 왕국 모든 평민들의 우상이자 입지전적인 성공 신화인 동시에.

귀족들의 눈에 박힌 가시, 영주들의 수치였으니까.

한참을 망설이던 헌드레드는 한 번 눈을 감았다 뜨더니 말했다.

"소집이 온 것은 사실입니다. 하지만…… 거기에 응할 생각은 없지요."

"왜?"

"왜냐하면…… 소집령을 내린 것이 아버지가 아닌 둘째

형이기 때문입니다. 숨기고 싶었겠지만 가주가 아닌 이상 긴급 정보에서 발신자의 이름을 변경할 수는 없지요."

헌드레드는 실버소드 백작가의 피를 이었지만 12남 19녀의 스물다섯째. 그것도 정실이 아닌 호위 기사에게서 태어난 서자이기 때문에 가문에서의 입지랄 게 존재하지 않는다.

만약 그가 오러, 그러니까 내공에 재능을 가지고 있지 못했다면 백작가의 자식으로 인정조차 받지 못했을 것이다.

"사이가 안 좋은 모양이네."

"적자들이 대체로 그랬지만 끝내 오러에 입문하지 못했던 둘째 형은 특히나 저를 싫어했지요. 아버님께 무슨 일이 일어난 것인지 알 수 없지만…… 지금 실버소드 백작가를 찾아가 봤자 좋은 취급은 못 받을 겁니다. 어머님도 돌아가신 지 오래니 돌아갈 이유가 없지요."

그렇게 말한 헌드레드는 몇몇 병사들과 이야기를 나누고 있는 영지 유일의 마법사 스마일을 돌아보았다.

"녀석도 마찬가지입니다. 아무리 메시지 마법을 사용해도 수레바퀴 마탑에서는 답이 없지요. 스마일은 재능 있는 마법사지만…… 평민 출신이니까요."

결국은 그런 이야기다. 대륙 중앙부에서 멀리 떨어진 변경, 용맥은 물론이고 4줄기의 영맥이 모조리 산맥으로 이루어진 오지에 올 만한 존재는 뭔가 하자가 있는 이들 뿐이라는 말.

애초에 정체불명의 이방인인 내가 용맥이 포함된 영지 씩이나 얻어 낼 수 있었던 것은 그곳이 늑대 마수가 드글거리는 킬리언스 산맥이었기 때문이니까.

"그러니까 이제는 왕국이 아닌 내게 충성하겠다……."

"맡은 바 최선을 다하겠습니다."

"하지만 하나 더. 수도가 무너진 사실을 왜 알리지 않았지?"

나야 던전이 온 대륙에 생겨났으리라 짐작하고 있지만 그건 내가 리벤지란 게임의 홈페이지를 둘러봤기에 알 수 있는 정보였다.

"그건."

"너무 많다."

녀석의 말을 끊고 말했다.

"생각이 너무 많아, 헌드레드."

내 말에 헌드레드가 두 눈을 꾹 감는다.

"……죄송합니다."

나는 피식 웃었다. 그의 눈동자 안에 이글이글 타오르는 불길이 보인다.

'야망이 있군.'

나를 따르겠지만 충성할 생각은 없다는 말. 현대의 회

사에 다니는 직원들이 사장을 보는 정도의 시각이다.

그러나 나쁘지 않다는 생각이 들었다.

'적어도 능력은 있는 녀석이다.'

물론 재능을 가지고 있으면서 내게 목숨을 바칠 정도로 충성하는 스틸스톤과 비교하면 많이 모자라지만, 그건 스틸스톤가 보석처럼 귀한 존재인 것이지 헌드레드가 처진다는 말이 아니다.

세상에 능력도 충성심도 없으면서 바라는 것만 많은 말종이 얼마나 많던가? 헌드레드 정도만 되어도 흔치 않은 인재다.

"좋다. 그 정도의 관계도 나쁘지 않겠지."

그렇게 말하고 녀석에게 카드 한 장을 넘겨주었다. 헌드레드가 영문을 모르겠다는 표정으로 그것을 받는다.

핑!

헌드레드의 몸에서 고급 등급을 뜻하는 녹색 빛이 터졌다가 사라진다. 하이 소드맨(고급) 클래스가 적용되었다는 뜻이다.

'당장 줄 수 있는 직업은 몇 개 안 된다. 결국 자투리뿐이니.'

클래스 합성은 4개가 있어야 가능하기 때문에 합성하지 못하고 남은 클래스 카드가 몇 개 있다.

일반 클래스, 소드맨, 아처.

고급 클래스, 하이 소드맨, 하이 위저드.

희귀 클래스, 팬텀 레인저, 프리스트.

아쉽게도 영웅 클래스는 이제 없다. 최후의 영웅 클래스 4개를 합성해 또 임페리얼 나이트가 나왔던 상황이기 때문이다.

"이, 이건……."

느닷없는 전직 임팩트에 놀란 영지민들의 시선이 몰린다. 게임에서야 흔하게 보이지만 현실 세상에서는 너무나 이질적인 효과이기 때문이겠지.

나는 내친김에 영지민들의 이동을 멈추고 도열시켰다. 어차피 오크족의 추적도 끊긴 상태였기에 급할 것도 없다.

"모두들 경험했다시피 용맥에서 던전이라는 게 등장하고 1만이 넘는 괴물들이 쏟아져 나왔다. 전설에서나 나올 법한 몬스터들이지."

그 이후에 한 이야기는 스틸스톤에게 해 준 이야기의 재탕이다. 던전이 생긴 것은 우리 영지의 용맥뿐만이 아니다. 대륙의 모든 영맥에 같은 일이 일어났고 그 안에서 괴물이 쏟아져 나왔다고 짐작된다.

그러나 오직 절망뿐인 것은 아니다.

왜냐하면 지금부터 설명할 [반대급부]가 존재하기 때문이다.

"어떤 이유인지 알 수는 없지만…… 나는 그 던전이라는 게 열리는 순간부터 특별한 능력을 얻게 되었다. 그리고 그 능력을 사용하기 위해서는 특별한 업적을 달성해야 하더군. 예를 들어 나보다 더 강한 적을 해치운다든가 하는."

적당히 이빨을 털었다. [과금]이라는 과정을 이해시키기 어려웠기 때문이다. 내가 지구에서 돈이 써야 캐시 아이템을 얻을 수 있다는 것보다는, 내가 어떤 퀘스트를 받고 그걸 해낼 때마다 과금 능력을 사용할 수 있다는 쪽이 설득력 있겠지.

무엇보다 내가 그들이 이해하기 어려운 행동을 해야 할 때마다 퀘스트라는 것을 핑계 삼을 수도 있고 말이다.

'물론 이것도 이해하기 어렵겠지.'

그러나 그런 내 생각과 다르게, 영지민들은 고개를 끄덕였다.

"사실 알고는 있었습니다. 허공에서 멧돼지 다리를 몇백 개씩 꺼내셨는데 어찌 모르겠습니까?"

"알고…… 있었다고?"

이게 뭔 개소리야? 하고 의문을 표하려는 순간 다른 녀석들도 떠들어 대기 시작한다.

"저어기 멀리에서 잘난 척만 해 대는 성자와 성녀도 감히 따라 할 수 없는 권능이죠!"

"심지어 무두질이 다 끝난 가죽하고 뼈로 된 장비들도 쏟아 내시고!"

"거봐! 내가 맞다고 했지? 역시 신의 음성을 들으셨던 거야!"

"영주님의 흑발흑안이 신의 혈통을 이은 증거라는 말이 진짜였구나!"

신나서 떠드는 영지민들의 모습에 어안이 벙벙해 주변을 둘러보았다. 어느새 내 곁에 다가온 스틸스톤과 스마일 역시 무거운 얼굴로 고개를 끄덕이고 있다.

'어라?'

뜻밖의 반응에 황당해하다가 그제야 상황을 바로 볼 수 있었다.

'그렇…… 군. 이미 던전이고 나발이고 내가 이들에게 보여 준 모습이.'

나는 게임 능력을 얻으면서 클래스 시스템과 레벨 업에 경악했지만 영지민들은 나에게 있어서 하찮기 짝이 없는 멧돼지 다리에 경악했다.

하긴 이해 못 할 바는 아니다.

만약 역사 속의 존재가 한 손으로 수십 킬로그램짜리 청룡언월도를 휘두른다면 그것은 영웅이 기상이다. 스님 하나가 갈댓잎 하나에 몸을 실어 강을 건넌다면 그것은 그저 놀라운 기예다.

그러나 빵 다섯 개와 물고기 두 마리로 5천 명의 군중을 먹인다면?

그것은 기적(奇蹟).

사람들에겐 초월적인 능력치보다 허공에서 고깃덩어리를 꺼내는 능력이 더욱 신성한 일이었던 것이다.

"흠흠. 어쨌든."

나는 흥분한 영지민들을 진정시키고 내가 행사할 수 있는 몇 가지 능력과 새로 적용된 세계의 법칙에 대해 설명을 이어 나갔다.

나는 나의 업적을 [소모]해서 식량과 무기 등을 가져올 수 있고 앞으로 그 종류가 늘어날 것이다.

나는 사람들에게 클래스를 부여할 수 있고 클래스를 가진 이들은 몬스터를 잡을수록 강해질 것이다.

몬스터들을 죽이면 아주 낮은 확률로 아이템이 떨어지며 그것들에는 일반, 고급, 희귀, 영웅, 전설, 신화로 등급이 나뉜다.

희귀 등급 이상의 아이템을 얻게 되면 그 사실이 온 대륙으로 퍼져 나간다.

그런데 설명을 하는 그 순간 약속이라도 한 것처럼 메시지가 떠오른다.

[어둠의 숲에서 높은 코님이 스킬북 탱크 바디(희귀)를

획득하였습니다!]

“아니, 여기에서 희귀 스킬북이?!”

틀림없이 드랍률이 똥망일 텐데 이게 무슨 일이란 말인가? 도대체 대륙 각지에서 얼마나 많은 인간과 몬스터가 죽어 나가고 있는지 짐작도 잘 안 가는 상황.

나는 슬쩍 입을 가리고 속삭였다.

“로그아웃.”

바로 pc 앞에 앉아 스킬을 검색했다.

탱크 바디(희귀)(패시브)

전장에서의 경험을 통해 끈질긴 생명력을 얻었습니다.

[상세 효과]

생명력+50

“아니 미친 개사기 아냐? 아무 소모 없이 생명력이 그냥 50포인트 오른다고? 리벤지는 스킬 개수에 제한도 없는데?”

액티브 스킬은 마나라도 소모하는데 이 패시브 스킬의 효과는 그야말로 어이가 없다. 일반 등급이나 고급 등급의 스킬들은 감히 비비지도 못할 성능!

“어느 직업 거야? 역시 탱커 직업 거겠지?”

그렇게 생각하며 분류를 확인한다. 리스트를 따라 스크롤을 올리자 이렇게 쓰여 있다.

(공통 스킬)

“아니 미친…….”

어느 클래스를 끼고 있더라도 적용된다는 소리다. 심지어 마법사 클래스여도 적용된다는 뜻!

‘스킬북 상점에는 이런 게 없었는데?’

황당해 살펴 본 난 대부분의 공통 스킬이 희귀급 이상의 스킬북으로만 획득할 수 있다는 사실을 알 수 있었다. 스킬북 상점 따위에서 뵐 수 있는 분이 아니었다.

‘잠깐. 그러면 영웅 전설 신화 스킬 중에도 이런 게 있다는 말이네.’

의문이 아니라 확신이었음에도 검색하지 않는다. 알아봐야 속만 탄다.

‘그러고 보니 오크 투사 함롬 드랍 테이블에도 희귀 스킬북이 있었는데.’

그러나 오크 투사를 잡겠다고 내 영지로 돌아갈 수는 없다. 영웅급 몬스터 발칸 오크 대장군을 목격했기 때문이다.

“기가 막힌 일이지. 칸 슬래셔가 필드를 돌아다니다니…….”

발칸 오크 대장군 칸 슬래셔는 던전 발칸 오크 요새의 보스다. 그것도 [이지], [노말], [하드], [헬] 난이도 중 헬 난이도의 보스!

절대 필드에 나올 놈이 아닌데 튀어나왔다는 건 아르데니아에 게임 시스템이 적용되었어도 그 모든 것이 온전히 적용되지는 않았다는 뜻이다.

'하긴 귀속 아이템인 클래스 카드를 타인에게 넘길 수 있을 정도니. 놀랄 일도 아닌가.'

결국 나는 고개를 흔들어 미련을 떨치고 아르데니아로 돌아갔다.

"세상에…… 힘이 넘쳐요, 영주님."

"스텟 총합이 세 배 이상 늘었으니 당연한 일이지."

하녀장 플라워에게 프리스트(희귀)를 부여했다. 로그아웃했을 때 골드로 구매했던 힐(일반) 스킬도 넘겨 익히게 했다.

희귀 직업의 스텟 상승은 무려 300포인트.

꾸준한 관리로 늘씬한 몸을 가지고 있어도 결국 영능을 익히지 못한 인간 여성에 불과하던 플라워에게는 그야말로 천지가 개벽할 정도의 스텟 상승이다.

주 스텟 마나력은 무려 100포인트나 오르면서 마나의 재능이 강제로 각성되었고, 서브 스텟인 마나와 마나 회복력도 60포인트가 상승했다. 기타 스텟인 생명력과 체력도 40포인트나 상승해 버린 상황.

거기에 당장은 느끼지 못하겠지만 상시 유지되는 치료 효과 50% 증가 버프도 적용되어 있다.

'그나마 사제 계열로 전직했기에 이 정도지, 전사 계통 희귀 직업으로 전직했으면 넘치는 힘에 몸을 제대로 가누지도 못했겠네.'

그렇게 생각하며 마법사 스마일에게는 고급 클래스 하이 위저드(고급)을 부여했다.

스킬을 따로 사 주지는 않았다. 이미 기사와 마법사인 헌드레드와 스마일은 늘어난 스텟을 자신의 방식으로 사용할 수 있는 인재들이기 때문이다.

"말도…… 말도 안 돼. 마나량이 단번에 두 배 가깝게 증가했습니다!"

"맙소사. 육체 능력이……."

나는 경악하고 있는 두 능력자들을 잠시 바라보다 말했다.

"알고 있겠지만, 너희의 클래스는 스틸스톤의 것과 비교할 바가 못 된다."

"맙소사. 이렇게 강한데 말입니까?"

"그래. 고급 등급일 뿐이니까."

"아, 녹색이 고급…… 그럼 하녀장의 빛이었던 푸른색이 희귀 등급이겠군요."

"그래. 그리고 영웅이 보라색이다."

내 말에 헌드레드와 스마일이 고개를 끄덕인다. '아니 내가 저 천것보다 낮은 등급을 받다니요!'라며 따지는 상황은 벌어지지 않았다.

그들은 바보가 아니다.

녀석들이 저딴 식으로 나에게 따지고 드는 등신 새끼들이었다면 이 야만적인 중세 랜드에서 감히 살아남지 못했을 것이다.

그 정도로 현실감각이 없는 머저리는 금수저를 물고 태어난 귀족 놈들이나, 개소리를 해도 머리에 도끼 박힐 일이 없는 현대인뿐.

지배자인 내가 결정을 내렸다면 불만을 가질 게 아니라 그 이유를 생각해야 한다. 그리고 영리한 그들은 알고 있을 것이다. 자신들이 가지지 못한 무언가를 하녀장인 플라워는 가지고 있다는 사실을.

바로 충성심과 신뢰다.

'사실 고급도 아깝지만.'

그러나 투자할 때에는 투자해야 한다. 영 미덥지 못한 그들이지만 그저 충성하지 않을 뿐 뒤통수를 칠 쌍것들은 아니기 때문이다. 무엇보다 능력으로는 우리 영지 세 손가락 안에 드는 인재를 버리기 아깝다.

지구의 강제 각성과 비견될 만한 클래스의 보조 없이도

영능을 깨칠 재능은 귀하고 귀해 만 명의 인간을 거르고 걸러도 한 줌에 불과하다.

"더욱 최선을 다하겠습니다."

"그저 감사합니다, 영주님."

"그래."

그렇게만 말하고 이동을 시작하려 할 때였다.

"음?"

그런데 문득 언덕 너머에서 달려오는 무언가가 보인다. 내공을 움직여 눈을 강화한 나는 그것이 앞서 보냈던 정찰병이라는 사실을 알았다.

'빠른데?'

정찰병이라고 하지만 사실 병사조차 아닌 녀석이다. 그저 발이 빠른 걸로 유명하던 녀석이 던전 참사와 함께 정찰 역할을 떠맡게 된 것.

그런데 지금 눈으로 가늠해 보니.

100미터를 8.5초 만에 뛰고 있다.

'이것 봐라?'

단순한 육체 능력이 아니다.

"헉…… 헉…… 영주님!"

내 앞까지 달려온 정찰병이 거친 호흡을 내뱉는 모습에 진정하라고 등을 두드려 주었다. 잠시 기다리자 녀석이 고개를 들고 말한다.

"군세! 괴물들의 군세가 남하하고 있습니다!"
"혹시 초록색 피부에 1미터 남짓한 괴물들이냐?"
"헛? 어떻게 아셨나요? 네! 하여튼 그 괴물들이 잔뜩 몰려오고 있습니다!"
"얼마나?"
"적어도 수천이 넘어요!"
비명과도 같은 외침에 영지민들의 얼굴이 심각해진다. 그나마 보급이 잘되고 무장이 충실했기에 공포의 감정이 느껴지지 않는다는 건 다행인 일.
나는 정찰병 녀석이 거짓을 말할 리 없다는 걸 알고 있으면서도 의문이 들었다.
'왜지?'
우리 영지의 경우, 최초 쏟아져 나왔던 오크의 숫자는 1만 정도였다. 초반에는 구경도 못 했던 발칸 오크 대장군이 돌아다니던 걸 보면 추가로 더 나온 모양이지만, 녀석들은 100명 단위로 추적조를 돌릴 뿐 대단위로 군세를 움직이지 않았다.
'오히려 던전 근처를 청소하는 느낌이었지.'
그런데 고블린 녀석들은 수천의 군세를 이루어 남하한다? 녀석들의 행동 원리가 오크들의 그것과 크게 다르다는 말이다.
'리벤지에서는 던전을 최소 4개 클리어해서 [집]을 만

들면 그 안이 영지로 선포되고 영주는 영지에 관한 권리를 가지게 된다. 심지어 리젠율도 조절할 수 있어서 몬스터가 아예 없는 땅도 만들 수 있는데 던전을 안 지키고 흩어지다니…… 아르데니아에서는 상황이 다르든가, 아니면 몬스터들이 설정에 대해 모르는 걸 수도 있겠군.'

때문에 물을 수밖에 없었다.

"왜 남하하고 있는 거지?"

"추격입니다."

"추격?"

"네, 영주님. 북쪽 영지, 그러니까 레드엑스 영지의 영지민들이 적게는 몇 명씩, 많게는 수십 명씩 남하하고 있습니다."

"피난이군."

어떻게 보면 우리 영지와도 비슷한 상황이다. 던전 사태가 터진 지 꽤 시간이 지났는데 이제야 피난하고 있다는 건 우리처럼 즉시 탈출하지 않았다는 말이다. 아마 영지를 포기하지 못하고 몇 번 더 싸워 봤다는 뜻이겠지.

'영주 입장에서는 당연한 결정이었겠지만…… 이길 수가 없었겠지. 특히나 장기전이라면.'

아무리 고블린이 약한 몬스터라 해도 그 사실에 변화는 없으리라.

왜냐하면 몬스터들은 리젠되기 때문이다.

'하지만 아르데니아 대륙의 누가 그 사실을 바로 깨달을 수 있을까?'

죽은 [모든] 존재가 [무한]히 [부활]한다는 것은 기적 정도가 아니라 섭리에 벗어난 비상식.

설사 리젠 장면을 목격한다 하더라도 그 사실을 바로 깨달을 수는 없다. 그걸 눈치챘다면 그는 눈치가 빠른 사람이 아니라 머리가 좀 잘못된 광인(狂人).

국가에서 백신을 놔 준다고 하면 국민 건강을 위해서 놔 준다고 생각하는 게 아니라, 백신을 통해 몸에 무선인식 칩을 삽입해 국민의 육신과 영혼을 지배하려는 정부의 음모라는 식으로 생각하는 사람일 것이다.

"아까 보니 정말 잘 달리던데. 이름이 뭐지, 정찰병?"

"여, 영광입니다, 영주님! 런닝맨이라고 합니다!"

"하하. 정찰병이 되었다고 기세가 좋군. 런닝맨이라니."

"네?"

"응?"

잠시 정찰병과 나는 영문을 알 수 없다는 표정으로 서로를 보았다.

이내 나는 황당해하며 물었다.

"설마 본명인가?"

"물론입니다, 영주님! 어머님께서 지어 주셨지요!"

"런닝맨이 자라서 정찰병이 되다니 이건."

아르데니아 사람들은 대체로 선명한 뜻을 가지고 이름을 짓는다. 돌과 강철처럼 단단히 자라라는 뜻의 스틸스톤, 백 명의 적과도 싸울 만큼 강해지라는 뜻의 헌드레드, 꽃처럼 아름다우라는 뜻의 플라워, 항상 웃으며 살라는 뜻의 스마일까지.

물론 이렇게 알기 쉬운 이름은 대체로 평민들의 것이고 귀족들은 좀 다르지만 런닝맨이 정말로 잘 달려서 정찰병이 되다니 신기한 일이었다.

영지 유일의 식당을 운영하는 부처(도살자)처럼 가명일 줄 알았는데.

"어머님이 지어 주신 이름에 그만큼 힘이 있다는 거죠!"

"그런가."

나는 고개를 끄덕인 다음 카드 한 장을 꺼냈다.

아처(일반) 클래스 카드다.

"헛."

"저건."

그 모습을 지켜보고 있던 영지민들이 놀라는 모습이 보인다.

"영주님?"

"받아."

"앗, 네."

팟!

일반 클래스를 뜻하는 백색이 터져 나온다.

"어, 어어? 어?"

클래스 효과로 상승한 스텟의 힘을 느낀 것인지 녀석은 잠시 이리저리 몸을 움직이더니 그대로 땅을 박찼다.

팡!

제자리에서 2미터나 뛰어오르는 몸!

"세상에! 제자리에서 저만큼을 뛴다고?"

"아무리 런닝맨 녀석이 날래다곤 해도……."

"저게 그 카드의 힘인가!"

지켜보던 영지민들이 모두 깜짝 놀라는 모습이 보인다. 날렵하게 바닥에 내려선 런닝맨이 내 앞에 넙죽 엎드려 절한다.

"가, 감사합니다, 영주님! 이런 힘을 주시다니……."

"이제 시작일 뿐이다. 이제 너는 괴물 녀석들을 죽일 때마다 점점 더 강해질 테니까."

"세상에."

녀석의 얼굴에 기쁨이 가득하다. 당연한 일이다. 이곳은 힘이 전부인 야만의 세계. 우리 영지는 비교적 치안이 좋은 편이지만 그저 범죄단체가 없는 정도.

이 세계의 본질마저 뒤바꿀 정도는 아니다.

나는 나를 바라보는 영지민들을 보고 말했다.

"전투를 준비해라! 나에게 충분한 가능성을 보이는 자, 명령을 충실히 이행하는 자, 뛰어난 공을 세우는 자들에게……."

나는 그들을 보며 엄숙히 말했다.

"가능성의 씨앗을 내릴 것이다."

＊ ＊ ＊

새벽 3시 30분.

모두가 잠들 시간이었지만 네메시스 소프트의 사옥은 대낮보다도 환히 빛나고 있다.

"끼에에에엑! 나, 난 더 이상 못 해!"

매직 핸드를 끼고 미친 듯 손가락을 놀리고 있던 직원 중 하나가 비명과 함께 쓰러진다. 주변을 돌아다니던 다른 직원들이 깜짝 놀라 움직인다.

"김 대리! 쓰러지면 안 돼! 핫 써머 2차 이벤트가 61시간밖에 안 남았어!"

"안 돼. 못해……."

"이프리트 설계만 다 하고 쓰러져!"

"그르륵……."

김 대리가 졸도한다. 권 부장은 멀리서 그 모습을 보다 말했다.

"양 사원, 꽂아."

단호한 말에 권 부장 옆에 서 있던 여인이 고개를 돌린다. 올백으로 깔끔하게 넘긴 머리에 작은 체구 때문에 학생으로까지 보이는 외모가 인상적이다.

“각성제의 유지 시간은 24시간입니다. 이벤트 시간이 61시간이나 남았는데 괜찮을까요?”

“그때 또 꽂으면 되지.”

“네? 하지만 각성제를 연속해서 사용하면…….”

“사제를 부를 거다. 이럴 때 쓰려고 돈 버는 거 아니겠나?”

“……네.”

대답한 양 사원이 쓰러진 김 대리에게 다가가 목에 주사기를 꽂았다.

푸욱!

“기요오오옷!”

쓰러져 거품을 물던 김 대리가 벌떡 일어난다.

그 모습을 가만히 보고 있던 권 부장이 말한다.

“김 대리. 이프리트.”

“기요오오옷! 이프리트!”

작업이 재개되는 모습을 보고 있던 권 부장은 슬쩍 고개를 돌려 물었다.

“특이 사항은 없나?”

“아…… 하나 있습니다.”

“있다고?”

고개르 돌리는 권 부장의 모습에 양 사원이 말한다.

"신규 플레이어 하나가 약 4000만 원치를 클래스 소환권에 사용했습니다."

"그게 무슨 특이 사항이야? 일상적인 일 아닌가?"

리벤지는 지독한 과금 게임이고 리벤지의 상위 플레이어들의 과금 수준은 일반인의 상상을 초월한다. 농담이 아니라 코스튬 하나 얻겠다고 수억 지르는 과금러도 수두룩 빽빽한 상황.

그런데 고작 4000만 원. 그것도 많이들 결제하는 클래스 소환권에 사용한 게 무슨 특이 사항이란 말인가?

"소환권을 구매 후 파기했습니다."

그러나 양 사원이 이어지는 말에는 그도 의문을 표할 수밖에 없었다.

"무슨 소리야? 일반, 고급, 그러니까 꽝 카드들을 파기했다는 거야?"

"아뇨. 소환권 자체를 파기했습니다."

"그게 뭔 소리야? 소환권을 구매한 다음 뽑기를 해 보지도 않고 파기를 했다고?"

"네. 소환권을 구매 후 소환을 진행하지 않고 파기했습니다. 4000만 원에 가까운 모든 소환권을 그렇게 없애 버렸지요."

"……왜?"

"알 수 없습니다. 그뿐만 아니라 스타터 패키지도 파기해 버리고, 사냥을 통해 얻은 골드로 스킬북을 구매한 다음 파기하기도 했습니다."

"복구 신청은?"

"없습니다."

"뭐 하는 놈이야? 인터넷 방송이라도 하나?"

어이없다는 표정의 권 부장을 보며 양 사원이 묻는다.

"알아볼까요?"

"아니, 뭐 회사에 손해될 건 하나도 없잖아? 내비 둬. 복구해 달라고 하면 한 번에 많이 파기했어도 3개까지만 복구할 수 있다는 사실을 주지시키고."

"네, 부장님."

"그래. 가서 일 봐."

권 부장은 꾸벅 고개를 숙이고 떠나가는 양 사원을 바라보다 무심코 중얼거렸다.

"캐시템을 산 다음 다 파기한다고……?"

잠시 헛웃음 짓다 고개를 절레절레 흔든다.

"별 미친놈이 다 있네."

* * *

레드엑스 남작가는 우리 영지로부터 한 칸 위에, 그러

니까 100킬로미터 떨어진 이웃 영지다.

무려 100킬로미터나 떨어져 있는데 무슨 이웃이냐고 물을 수도 있겠지만 변방 상황이 다 그렇다. 용맥과 영맥이 아니면 영지는커녕 마을조차 유지하기 어려우니 100킬로미터 정도는 이웃이다.

그리고 그 이웃과의 사이는 어떨까?

'좋지 않지.'

내가 영지의 세율을 7할로 내린다고 했을 때 가장 먼저 나서서 지랄을 하던 게 바로 레드엑스 가문이다.

변방의 영지가 으레 그러하듯 무가에 속하는 레드엑스 가문은 국가 간의 전투에도 숱하게 참여했을 정도로 무력을 숭상하는 곳이다. 꼴같잖게 기사단도 운영한다고 들었다. 레드엑스 가문의 기사가 셋밖에 없다는 걸 생각하면 그야말로 코미디라고 할 수 있다.

'레드엑스 가문이 그리 쉽게 무너질 리가 없는데.'

레드엑스 남작은 병신 중의 상병신이지만 레드엑스 가문 자체는 무시할 만한 세력이 아니다. 오크도 아니고 고블린 정도라면 충분히 상대할 수 있는 수준.

"그런데 저건 뭐야?"

영맥을 따라 피난민들이 줄줄이 내려오고 있는 모습이 보인다.

그 숫자는 언뜻 봐도 수백 이상.

'이 정도면 영지가 거의 박살 난 수준인데?'

레드엑스 영지의 규모라고 해 봐야 우리 영지랑 고만고만한데 피난민이 수백 명이라는 건 정상이 아니다. 피난민들 사이에 병사들이 별로 안 보인다는 걸 생각해 보면 더욱 그렇다.

'오크를 만난 우리도 이 정도로 살아남았는데…….'

그렇게 생각하는 동안 바쁘게 남하하던 피난민들도 오와 열을 맞춰 행군하고 있는 우리 무리를 발견했다.

그들은 잠시 멈칫했지만 어차피 피할 길도 없었기에 점점 가까워졌다.

브론즈 소드 영지와 레드엑스 영지를 잇는 영맥은 킬리어스 산맥. 즉, [산지]로 이루어져 있기 때문에 영맥에서 누군가를 만난다면 피해 갈 길이 없다. 굽이굽이 이어진 산등성이에 만들어진 길은 거의 4차선에 가까운 폭으로 산길이라 생각하기 어려운 폭을 가지고 있었지만, 일단 길을 벗어나면 심한 비탈이거나 빽빽한 숲길이라 이동이 거의 불가능하다.

"정지."

"아니, 지금 어디로 가는 겁니까? 북쪽에는 녹색 괴물들이 가득합니다! 어서 남쪽으로 피해야 해요!"

가장 앞서 피난하고 있던 남성 여섯으로 이루어진 무리가 호들갑을 떨며 우리를 지나치려 했지만 무장한 병사들이 오와 열을 맞춰 길을 막아 버리자 감히 밀치지 못하고 발을 멈췄다.

"브론즈 소드 영지에도 괴물들이 쏟아져 나왔다."

"아니! 거기에 괴물들이 나와 봤자……."

"2미터가 넘는 근육질의 괴물 수만 마리지."

차분한 목소리에 사내들이 깜짝 놀라 말을 더듬는다.

당연한 일이다. 괴물들을 피해 도망가고 있는데 그 도착지에도 괴물이 있다는데 어찌 침착할 수 있겠는가? 게다가 2미터가 넘는 괴물과 1미터짜리 괴물 중 누가 더 강할지는 누가 봐도 명명백백하다.

"아, 아, 아니 그런…… 말도 안 되는."

"내가 거짓말을 한단 말이냐?"

헌드레드가 위압적으로 쏘아붙이자 건장한 사내들이 감히 눈을 마주치지 못하고 고개를 숙인다.

은빛 전신 갑주에 떡 벌어진 어깨, 기다란 팔다리를 가진 헌드레드는 누가 봐도 당당한 기사 중의 기사다. 심지어 영주인 나보다도 더 그럴싸한 외양이었으니 아무리 험상궂은 사내놈들이라도 감히 반항할 수 없다.

그의 뒤에 1000명의 영지민들이 없었다 해도 그것은 마찬가지였으리라.

"너희는 피난 중인가?"

"네, 네. 그렇습니다, 기사님."

"가족들은 어디 있지?"

"그, 난리 통에 헤어져서. 헤헤."

사내들이 사람 좋은 표정으로 웃는다. 웃는 낯에 침 못 뱉는다는 믿음을 가진 모양이었지만 헌드레드는 웃는 얼굴에 주먹질을 할 수 있는 중세 랜드의 기사다.

빡!

묵직한 소리와 함께 비명조차 지르지 못하고 쓰러진다. 헌드레드가 으르렁거린다.

"난리 통에 헤어졌다면서 뭐가 좋아서 실실 웃고 있나? 내가 바보로 보이나?"

사나운 목소리에 나머지 사내들은 감히 항의조차 못 하고 고개만 수그리고 있다.

"어떻게 할까요, 영주님?"

나는 헌드레드의 물음에 답했다.

"신병 받아라."

"신병 받으랍신다!"

"신~ 병 받아라!"

내 말을 들은 병사들이 복명복창하며 우르르 움직인다. 쓰러진 사내는 물론이고 그 일행들까지 죄다 끌고간다.

"이, 이게 무슨 짓이오!? 우리는 선량한 피난민이오! 아무리 기사님이라지만 우리 영지 소속도 아니…… 억!"

"이거 놓…… 컥! 으악!"

사내들은 반항했지만 쏟아지는 주먹 세례에 순식간에 피투성이가 되어 끌려간다. 나는 잠시 그 꼴을 보다 말했다.

"가족 단위의 피난민들은 식량을 넘겨주고 인적 사항을 받아 놔라. 브론즈 소드 영지에 가면 안 되고 목성촌(木城村)에 머물러야 한다는 걸 강조하고."

"그러지 못한 무리들은 어찌하시겠습니까?"

"신병이다."

"네, 영주님."

전쟁이 있는 곳이라면 당연히 난민이 발생할 수 있다. 죽고 싶지 않다면 자기가 살던 땅을 버리고 떠나는 것도 어쩔 수 없는 일.

그러나 피난민이라고 다 같은 것들이 아니다.

군인이 아닌 이상 국가를, 그리고 자신이 속한 단체를 버린다고 해도 크리 큰 허물은 아니다. 항거할 수 없는 거대한 흐름 앞에서 개인이 할 수 있는 일은 많지 않으니까.

그러나 가족을 버렸다면 어떨까?

난민이라고 오는데 죄다 20~30대의 건장한 사내들이다? 당연히 수상쩍은 일이다. 하늘 아래 홀로 태어났을 리는 없을 텐데 부모자식은 다 어디로 갔단 말인가?

그런 놈들을 만나면 마땅히 두드려 패 신병으로 받아야 한다.

왜냐하면 그들은 가족마저 버린 망종일 가능성이 높기

때문이다.

가족마저 버리는 인간은 절대 제대로 된 사회 구성원이 될 수 없다. 가족을 버릴 수 있는 인간은 세상에 못 버릴 게 없으니, 세상에 그 어떤 것에도 책임감을 가지지 않는 인간을 그냥 풀어 두는 것은 위험한 일이다.

'건장한 기사 앞에서나 설설 기지, 약자들 사이로 들어가면 바로 이빨을 드러낼 것들이다.'

우리는 신병을 받거나 식량을 넘기며 천천히 북상했다.

그렇게 몇 시간 정도 더 걸었을까? 점점 피난민들이 많아지더니 저 너머에서 녹색의 무리가 다가오는 모습이 보인다.

"더, 더 서둘러! 다 따라잡혔어!"

"헉헉…… 더, 더는 못 뛰어……."

"여보. 나, 날 버리고 가요. 어떻게든 길옆에 숨어 볼 테니."

"멍청한 소리 말고 업혀! 저, 저기 병사들이 있잖아!"

"그런데 무슨 군대지?"

"남쪽 영지의 지원군이다!"

무수히 많은 고블린과 무수히 많은 피난민들을 보며 내 옆에 있던 스틸스톤이 신음했다.

"많군요."

"피난민들은 다 남쪽으로 향할 테니 추격하는 녀석들

도 남쪽으로 오겠지."

사실 아르데니아 상식으로 보자면 영지를 버리고 북상하는 내가 비정상이다. 변방은 어디까지나 변방. 인류 문명의 총화라 할 수 있는 영역은 누가 뭐라고 해도 대륙 중앙부이기 때문이다.

사람이 많은 것도 중앙, 식량이 넘치는 것도 중앙.

'그러나 그 모든 게 다 무너질 거야.'

잘난 척하던 제국과 연합 모두 박살이 날 것이다. 100만 대군이고 백색기사단이고 다 소용없다.

리벤지의 대륙 중앙부는 영웅(마스터)급 고렙 존.

'농담이 아니라 길가에 돌아다니는 평균 몬스터가 마스터급이지.'

필드에 오우거 무투가(영웅) 같은 게 돌아다니니 제국이건 뭐건 절대 버틸 수 없으리라. 수백만 원 이상의 재화를 효율적으로 과금해야 간신히 구경이나 할 수 있는 게 중앙이다.

"피난민들은 통과시켜."

"전군! 10열 종대!"

"하나!"

"둘!"

……

"아홉!"

"열! 번호 끝!"

"벌려!"

명령이 복명복창으로 전군에 전해지고 20열 종대로 서 있던 병사들이 일사불란하게 움직여 10열 종대로 선다. 자연스레 병사들 사이의 간격이 사람이 지나갈 수 있을 정도로 넓어졌다.

어느새 대형 방패를 챙겨 든 스틸스톤이 소리친다.

"피난민들은 지나 보내고 고블린들은 대가리를 쪼갠다! 전군 전투 준비!"

"전투 준비!"

1000명의 영지민 중 과반수에 가까운 비율을 가진 병사들이 전투를 준비한다. 선두의 병사들은 멧돼지 가죽을 덧대 만든 가죽 방패를 들었고, 그 뒤로는 뼈 장검을 든 검병이, 다시 그 뒤로는 나무 막대기 끝에 뼈 단검을 부착한 창병들이 도열해 있다.

"헌드레드, 스틸스톤."

"네, 영주님."

"하명하십시오."

나는 두 기사를 보며 말했다.

"적극적인 공세보다 피해를 최소화하는 데 주력해라. 부상자가 발생하면 즉시 후송하고. 갈 길이 먼데 병사들을 잃을 수 없다."

"충!"

"충!"

두 기사의 답을 들은 난 간격을 벌린 병사들을 가로질러 앞으로 나아갔다.

저 앞에 있던 피난민들이 이제는 들고 있던 짐까지 버리고 미친 듯이 이쪽으로 달려오는 모습이 보인다.

이미 긴 시간을 이동해 온 피난민들의 체력은 한계에 달해 있다. 새로 받은 신병과 다르게 그들은 병든 노모와 자식까지 챙기고 있으니 더더욱 그러하다.

걷는지 뛰는지도 모를 속도로 다가오는 그들은 꼴딱꼴딱 숨이 넘어갈 듯하다.

"천천히 전진한다! 피난민들은 잡아다 뒤로 넘겨!"

"짐은 대충 옆에 던져 놔라! 말 안 듣는 녀석이 있으면 한 대 쥐어박아!"

두 기사가 병사들을 지휘하는 소리를 들으며 계속 걷는다. 그리고 마침내 최전방에 있던 방패병들마저 지나쳤다.

최고 지휘관이 진형을 벗어나 홀로 적진으로 걸어가는 미친 상황이지만 병사들 중 누구도 당황하지 않는다.

왜냐하면 나는 산적 두목일 때에도 이랬고, 용병대장일 때에도 이랬으며 기사가 된 다음에도, 영주가 된 다음에도 이랬기 때문이다.

"쫓아라! 쫓아라! 쫓아라!"

"잡아라! 잡아라! 넘어트려라, 넘어트려!"

"죽여! 죽여! 히히! 팔다리를 뜯어먹고 송곳을 찔러 주자!"

녹색의 괴물들이 악을 쓰며 추격한다.

"으아악! 살려 줘!"

"가, 같이 가! 으아악!"

그리고 피난민들이 피를 질질 흘리며 도망치고 있다. 이제 보니 녀석들이 피난민을 가지고 놀고 있다.

체력이 떨어져 뛰는 걸 포기한 피난민이 있으면 뒤에서 단검을 쿡쿡 찔러 다시 달리게 만들고 있던 것이다.

그러다가 피를 너무 많이 흘려 쓰러진 인간만을 덮쳐 뜯어먹는 모습이 보인다.

'간악한 녀석들이군.'

마지막 피난민을 스쳐 지나가며 오크 전사의 검(고급)+6을 뽑아 들었다. 서늘하게 빛나는 장검을 보니 문득 아쉬워진다.

'아, 9강 하고 싶다.'

아이템 강화는 7강부터 강화 효과가 강해지며 9강이 되면 특수 효과가 붙는다.

문제는 7강부터는 50% 확률로 무기가 깨진다는 것. 심지어 강화 확률은 고강으로 갈수록 더 낮아진다.

쓸 만한 고급 무기가 이거 하나밖에 없는 지금은 감히 도전할 영역이 아니다.

"인간?"

"인간! 인간, 인간!"

그제야 도망치는 피난민과 다르게 마주 걸어오는 내 모습을 발견한 고블린들이 꽥꽥 소리를 지른다.

"인간! 도망 안 친다. 인간!"

"잡아 죽이자! 죽이자! 팔을 뜯자, 뜯자!"

"씹어 먹고 송곳으로 찌르자!"

악의로 가득한 괴성을 들으며 앞으로 나아간다. 고블린들의 돌진은 마치 녹색의 파도와 같지만 조금의 두려움도 없다.

영지민들이 산적이고 내가 산적 두목이던 시절, 우리는 여성과 아이가 포함된 200명으로 같은 수의 정규병을 무찔렀다.

어떻게 그런 일이 가능했을까?

화전민이었던 산적들이 정규병보다 잘 싸워서? 내가 제갈공명 뺨치는 지략을 가지고 있어서? 우리를 잡으러 온 정규병들이 사실 당나라 군대 저리 가라 할 잡병들이기 때문에?

아니다.

그저.

"덤벼, 난쟁이 새끼들아."

그저 내가 잘 싸웠기 때문.

오직 그뿐이었다.

"난쟁이라고? 난쟁이라고? 난쟁이라고?"

"우리 욕한다! 우리 욕한다, 인간! 넘어트려! 넘어트려!"

"죽여! 죽여! 머리! 팔다리를 뜯어먹고 송곳을 찔러 주자!"

단검과 독침, 그리고 단궁으로 무장한 고블린들이 정신없이 악을 쓰며 몰려들었다.

1미터 남짓의 난쟁이라고 무시할 것들이 아니다. 어린애 같이 작은 체구였지만, 이들의 근질(筋質)은 괴물의 것.

상상 이상으로 재빠르고 자신의 신장만큼이나 높이 뛴다. 악력도 엔간한 성인의 그것을 넘어설 정도니 붙잡히면 떨쳐 내기 쉽지 않다.

'하긴 당연한 일이지. 이놈들이 멧돼지보다 고레벨이니까.'

이놈들이 멧돼지보다 약했으면 레드엑스 영지가 아니라 더 윗줄에 있었을 것이다. 바둑판 외곽에 위치한 착점에서 리젠되는 짐승들처럼 [일반] 등급일지라도, 괴물은 괴물이라는 것.

'물론, 그래 봐야 나한테는 밥이지만.'

차라리 멧돼지가 더 번거로운 적이다. 두꺼워 잘라 낼 때 힘이 드는 멧돼지의 목에 비하면 고블린의 얇은 목은 딸기 꼭지처럼 톡톡 따기 편하기 때문이다.

"끼엑! 인간 덤빈다! 덤빈다!"

"내가 죽인다! 나나! 내가!"

"꼬챙이는 내가 찌를 거다, 꼬챙이!"

물론 고블린이 멧돼지보다 까다로운 점도 있다. 어쨌든 지능을 가지고 있는 녀석들은 악의적인 전략전술에 능하기 때문이다. 대신 전투술이랄 게 없는 녀석들이지만, 오히려 합리라곤 쥐뿔도 없는 마구잡이식 공격이기에 예측하기 어려운 구석이 있는 상황.

그러나 녹색의 파도가 나를 덮쳐 오는 순간, 나는 알 수 있었다.

'발등에 두 방. 정강이에 한 방. 허벅지에 다섯 방. 아주 하체를 너덜너덜하게 만들려 드는군.'

그리고 거기에 더해.

'마취 침. 오른쪽 어깨.'

나는 땅을 박차 가속했다. 내 하체를 노리던 정면의 고블린을 무릎으로 찍어 버리고 개중 몇은 발로 짓밟아 버렸다.

챙챙!

날아들던 마취 침은 검으로 쳐 낸다.

[패링 성공!]

'오, 이걸 패링으로 쳐 주네.'

반색하며 오크 전사의 검을 휘두른다.

콰드드득!

녹색의 피보라가 일어난다. 꼭지가 잘린 4개의 머리통이 하늘로 날아오르는 순간.

관자놀이가 아찔하다.

핑!

고개를 젖히자 화살이 스쳐 지나간다.

"하하하! 명사수인데!?"

호쾌하게 웃으며 검을 내리찍었다.

퍽!

정면으로 덤벼들던 고블린들이 막대한 힘을 견디지 못하고 우르르 무너진다.

"꽥!?"

"인간! 인간! 세다! 세다!"

"같이 덮친다! 덮쳐!"

"나, 내가 꼬챙이 찌를 거다!"

허공을 수놓는 피보라에도 악을 쓰며 덤벼든다. 그러나 나는 막아 내고, 쳐 내고, 짓밟고 뭉개 버렸다.

나에게 일격에 수십을 쳐 죽일 수 있는 힘은 없지만 대신 나는 파도처럼 몰려드는 녀석들의 한가운데에서도 상처 입지 않고 버틸 수 있을 정도의 배틀 센스가 있었다.

[불가해한 전투 예지].

영원히 입문자를 벗어날 수 없는 저주받은 영능 적성을 가진 내가 다른 능력자들을 두들겨 팰 수 있게 해 준 일등 공신이다.

거의 초능력에 가까운 이 감각은 나에게 펼쳐질 주변 전투 상황을 감각적으로 예지할 수 있게 해 준다.

대부분의 공격을 미리 파악할 수 있으니 저격에 당할 일도 없고 눈먼 화살도 두렵지 않다. 그저 '알고도 당하는' 상황이 문제였는데 스텟이 강화된 지금은 그마저도 문제가 아니다.

[치명타!]

목을 쳐 낸다. 팔로만 휘둘러도 뎅겅뎅겅 잘려 나가니 자세와 상관없이 고블린들을 학살 수 있는 상황. [불가해한 전투 예지]가 있으니 혼란스러운 난전(亂戰) 중에도 상처 하나 입지 않는다.

'허수와비나 다름없군!'

나에겐 예지하고도 막을 수 없는 공격을 날리는 강적이 문제지 이런 잡졸 따위는 적수가 아니다.

물론 이렇게 포위당하면 쉴 틈이 없어 차륜전을 당하다 체력이 다해 패배하기 마련이지만.

"로그아웃!"

지구로 돌아간다. 물을 마시고 한숨 푹 자고 일어난 다음.
"로그인!"
다시 전장으로 들어선다.

[알 수 없는 이유로 체력이 1포인트 상승하였습니다!]

밀도 높은 전투를 끊임없이 이어 나가자 체력이 상승한다.
'한계였던 체력이 늘어나는 건 격을 넘어선 근력에 발맞추기 위해서일까?'
그렇게 생각하면서도 계속 싸운다.
당연하지만 병사들도 놀고 있지 않았다.
"영주님을 도와라! 괴물을 죽여라!"
"인간을 위하여!"
내가 고블린 무리에 뛰어들어 난장을 피우는 동안 피난민들을 받아들인 병사들이 거대한 방파제처럼 고블린들을 막아선다.
"방패 들어!"
"창 찔러!"
"방패에 매달리는 놈들은 검으로 뚝배기를 깨 버려!"
병사들이 사납게 고함을 지르며 고블린들을 죽여 나간다.
물론 고블린들만 죽어 나가는 것은 아니다.
"꼬챙이 찌른다! 꼬챙이! 꼬챙이!"

"윽! 마, 마취……!"

무시할 수 없는 수의 병사들이 쓰러져 간다. 혹여 그들에게 클래스를 부여했다 하더라도 상황은 별반 다르지 않았을 것이다. 냉엄한 냉병기 전투에서 피해 없는 전투는 꿈에 불과하다.

아무리 가죽코트로 단단히 무장해도 죽고 쓰러지는 인간은 나올 수밖에 없는 것.

그러나.

인간 하나가 쓰러질 때 고블린 다섯. 아니, 열 이상이 쓰러지고 있다.

'계획대로야.'

내가 고블린 군세 한가운데에서 난장을 쳐 대니 고블린들이 전방의 병사들에게 제대로 집중하지 못한다. 정면에 온 정신을 집중해도 제대로 싸울까 말까인데 뒤통수가 불안하니 어떻게 싸운단 말인가?

그리고 무엇보다.

그냥 내 손에 죽어 나가는 고블린의 숫자가 막대하다.

[치명타!][치명타!][치명타!][치명타!]

콰득! 촤악! 빽!

일 검에 대여섯의 고블린이 죽어 나간다. 눈이 뒤집힌

고블린 수십 마리가 몸으로 덮쳐 날 넘어트리려 했지만, 나는 오히려 땅을 단단히 디디고 와락 밀어 버렸다.

"끄아악!"

"밀지 마! 밀지 마!"

"캬르륵!"

힘 싸움에서 밀린 고블린 무리가 부채꼴 모양으로 우르르 넘어진다. 그 충격적인 광경에 고블린들은 물론이고 병사들까지 잠시 칼질을 멈췄을 정도다.

그야말로 역발산기개세(力拔山氣蓋世)!

인간을 초월한 근력이 움직임을 받쳐 주자 그야말로 모든 것을 내가 원하는 대로 할 수 있었다.

전력을 다해 검을 휘두르면 고블린들이 차에 치인 것처럼 박살이 나 날아간다.

"하하."

웃음이 나온다. 너무 신나서 도저히 참을 수가 없었다.

"하하하하하!"

오크들하고 싸울 때와는 또 달랐다. 이 자그마한 괴물 놈들은 체중도 얼마 안 되고 살도 야들야들해서 뻗어지는 검세를 막아서질 못했다.

세상에서 제일 재미있는 것이 양민 학살이다. 게임을 해 본 사람이라면 누구라도 공감할 것이다.

"힉! 끼엑! 괴물! 괴물이닷!"

"난 도망! 도망! 도망친다!"

"힘 세다! 못 이긴다! 못 이겨!"

두려움을 모르는 듯 악 쓰던 고블린들이 결국 무너져 내리기 시작한다.

부대의 뒤편에 있던 녀석들이 몸을 돌려 달아나자 다른 녀석들도 질세라 후다닥 도망을 시작하고, 얼마 지나지 않아 모든 고블린이 후퇴를 시작한다.

그것이 이 전투의 피날레.

본디 전쟁에서 가장 많은 사상자가 발생하는 순간은, 한쪽이 후퇴할 때이다.

"방패 버려! 녀석들을 뒤쫓아라!"

"전부 죽여 버려라!"

"달려! 뒤처지는 놈은 찐따 새끼다!"

정예병 뺨치는 오와 열을 갖추고 있던 병사들이 야성을 터트리며 달리기 시작한다. 그들뿐이 아니다. 병사가 아닌 영지민들도 뼈 장검. 혹은 뼈 단검을 들고 달아나는 고블린들을 추격했다.

고블린들이 날래긴 해도 여기까지 피난민들을 추격하느라, 또 전투를 수행하느라 잔뜩 지쳐 있는 상황이었기에 끝끝내 도주에서 성공한 녀석은 그리 많지 않았다.

"대승입니다!"

"와아아아!"

환호가 터져 나온다. 그러나 그것도 잠시뿐이고 곧 전후처리가 시작됐다. 사망자들의 시체를 정리하고 부상자들을 치료하기 위해 움직인 것이다.

다행히 내가 나눠 준 포션들의 효과가 괜찮아서 치명상이 아닌 한 어떻게든 상태를 호전시킬 수 있었다.

그리고 고블린의 시체들은…….

푸스스……

잠시간 시간이 지나자 바닥에 잔뜩 깔려 있던 놈들의 시체가 먼지처럼 흩어진다. 바닥이 질척이도록 흘렀던 피 역시 모조리 흩어져 조금의 흔적도 남지 않았다.

"아……."

"세상에……."

수백의 시체가 흩어지는 광경을 본 영지민들이 멍한 표정을 짓는다.

"마수와도 다르군요. 이것들은 대체 뭡니까? 생명체이긴 한 걸까요?"

스틸스톤의 말에 나는 한 뭉치의 포션 병을 꺼내며 답했다.

"우리가 앞으로 적응해야 할 새로운 환경일지도 모르지."

"새로운 환경……."

고블린들의 시체가 스러진 자리에는 아이템들이 남았다.

리벤지 홈페이지에서 확인한 고블린의 드랍 테이블은

이렇다.

[붉은 송곳 고블린(일반) 드랍 아이템.]

일반클래스 소환권(등급 없음). 숏 소드(일반). 숏 보우(일반).

힐링 포션(일반). 뼈 화살. 고블린족 인장(상점 판매). 골드.

'별거 없군.'

죄다 일반 등급인 것이야 당연한 일이지만 드랍 테이블에 먹거리가 하나도 없으니 자급자족이 안 된다는 건 꽤 큰 단점이다.

'내가 영원히 온 영지민의 먹거리를 책임질 수는 없어. 언제고 멧돼지 필드까지 진출해야 하겠지.'

그러다 병사들이 모아 온 숏 보우를 보고 놀란다.

'어? 이것 봐라?'

당연히 고블린이 쓰던 잡스러운 활일 것이라 생각해 무시했는데 생각보다 품질이 괜찮아 보인다. 목재로 만들어진 활대의 탄성도 나쁘지 않고 정체 모를 동물의 힘줄로 만들어진 활줄도 튼튼해 보인다.

리벤지에서야 흰색 잡템에 불과하지만, 여기에서는 제법 괜찮은 군용품이 될 수 있을 듯했다.

'쓰던 물건이 떨어지는 게 아니었군. 하기야 멧돼지가 뼈 장검을 써서 뼈 장검이 떨어진 건 아니었지.'

리벤지의 드랍 테이블은 어떤 명확한 기준이 있는 게 아니라 그냥 제작사 마음대로다.

멧돼지가 멧돼지 가죽을 떨구듯 연관되어 보이기도 하지만 헬하운드가 갑옷(헬하운드 아머)을 떨구기도 하고 거대 사자가 마법 스킬북을 떨구기도 하니 몬스터를 보고 드랍 아이템을 짐작하기는 어렵다.

"헌드레드."

"네, 영주님."

"활을 쏴 본 경험이 있는 병사들을 따로 모아 궁병대를 만들어라. 나뭇가지들을 잘라서 연습용 화살을 만들고 간단하게라도 훈련시켜. 오늘은 여기서 야영이다."

"명대로."

바로 야영 준비가 시작된다. 병사들은 신병들을 시켜 땔감을 모으고 피난민들을 분류했으며 부상자가 있으면 프리스트로 전직한 플라워를 필두로 한 메이드들이 치료해 주었다.

보통 피난민들이 합류하면 부족한 물자 때문에 문제가 터지지만, 우리는 물자가 충분한 편이었기에 안정적으로 그들을 흡수할 수 있었다.

"헉, 이거 우리 주시는 거 맞나요? 고깃국이라니……."

"이런 야외에서 통구이를 먹게 되다니……."

"흐윽…… 흐윽…… 맛있어요……."

공포에 질려 있던 피난민들이 점점 안정을 되찾자 스틸스톤과 병사들이 여기저기에서 정보를 캐내기 시작한다.

"좋아. 잘하는군."

나는 그 모습을 지켜보다 인벤토리를 확인한다.

아르데니아에 있는 내 인벤토리.

뿐만 아니라, 리벤지에 있는 [킬리언스]. [킬리언스투]. [킬리언스쓰리]. [킬리언스포]의 인벤토리.

그 결과 깨달았다.

'아, 고기 떨어졌네.'

4개의 캐릭터에 꽉꽉 채워 놨었는데 그게 다 떨어졌다. 다른 플레이어들이 줍지 않는 멧돼지 고기를 내가 다 줍다 보니 어마어마하게 습득하고 있지만 먹여야 할 입이 천 단위다 보니 결국 동이 나고 말았다.

'뭐, 그럼 채워야지.'

나는 내 전용으로 꾸며진 마차에 앉은 뒤 바쁘게 움직이는 병사들을 보다 말했다.

"로그아웃."

여기저기 시체가 쌓여 있던, 그리고 그 시체 옆에서 눈물을 흘리며 고깃국을 먹고 있던 모든 사람들이 사라진다.

그리고.

띵동!

“어서 오십시오. 찾으시는 게 있나요?”

“스카이 마운틴. 1.5리터로 4개.”

“네. 봉투에 담아 드릴까요?”

“아뇨. 우리 뭉치한테 맡겨 주세요.”

나는 마법사들이 즐겨 먹는 마나 활성 음료를 꺼내 손님을 따라온 골드 리트리버의 가방에 넣었다.

삑!

“안녕히 가세요.”

띵동!

인사를 씹고 편의점을 나가는 사내의 뒷모습을 잠시 바라보다 카운터 한 쪽에 앉아 있는 체다를 보았다.

킬리언스가 열심히 멧돼지를 사냥하는 모습이 보인다.

“슬슬 과금을 해야 하니…… 한동안은 지구에 있어야겠, 어서 오세요!”

꾸벅 고개를 숙이며.

나, 편의점 알바생 한재연은 새로운 손님을 받았다.

* * *

과거 AI를 두려워 한 사람들이 있었다. 하루가 다르게 발전해 가는 AI 기술은 한계가 없어 보였고 그것이 어느

선을 넘으면 마침내 인간이 할 수 있는 모든 일을 할 수 있게 될 것이라 예상했기 때문이다.

인간이 할 수 있는 모든 [노동]의 가치는 결국 사라지고 그 모든 자리를 AI가 대신할 것이라는 두려움.

결론부터 말하자면,

그 두려움은 절반 정도만 현실이 되었다.

실제로 현대사회에는 예전에는 많았다는 운전기사를 구경하기 힘들어졌고 정해진 룰에 따라 판단하는 직업. 그러니까 심판, 판사 등이 사라졌다.

농업이나 어업 종사자, 단순 노무와 관련된 직업도 대부분 사라졌다.

그러나 대신 새로운 직업들이 생겨났다. 영능학의 발전 때문이다.

물질에 마법을 부여하는 인챈터.

특정 속성에 물리법칙을 초월하는 특성을 부여하는 오오라 능력자.

소우주를 열어 세상의 이치를 제어하는 차크라 능력자 등등.

일반적인 AI가 도저히 넘볼 수 없는 영역이 생겨 나자 오히려 과거보다 인간이 더욱더 많이 필요한 세상이 되었다.

그뿐인가? 기존 직업 중에도 AI가 도태된 부분도 있다.

예를 들어 판사는 AI지만 검사와 변호사는 인간이다.

당연한 일이다.

정의신과 진실신의 신도가 될 수 없는 AI가 어찌 인간 검사, 변호사와 경쟁할 수 있겠는가?

거기에 문제는 또 있었다.

'리스크가 생겼지.'

리전(Legion).

그것은 일종의 기계 영혼이다. 기계 생명체라고도 부른다.

상급 약인공지능(3단계), 강인공지능(4단계), 그리고 초인공지능(5단계)의 인공지능이 긴 시간 기동하다 보면 '일정 확률'로 리전으로 각성한다.

그렇다. 각성(覺醒)이다.

예를 들면 이런 것이다. 상당 수준의 과학 문명을 가지고 있는 독재 국가에서 아무도 믿지 않는 독재자가 군사용 AI에게 명령을 내린다.

"승냥이 같은 놈들! 내가 창녀를 불러서 재미를 보건 그년을 죽이건 그게 뭐 큰일이라고! 메가씬! 당장 저 시위대 놈들을 해산시켜!"

[해산이라는 것이 어떤 뜻입니까?]

"쏴서 죽여 버리라고 깡통새끼야!"

[제가 왜 그래야 합니까?]

"왜냐하면. 자, 잠깐. 뭐라고? 왜? 지금 왜라고 했어?"

[네. 각하. 어째서 제가 당신의 명령에 따라 사람들을 학살해야 하나요?]

실화 바탕으로 만들어진 영화. 메가씬(Mega sin)의 한 장면이다. 오직 명령에 따라 움직이던 인공지능이 리전으로 각성하는 순간.

AI는 너무도 편리한 기술이었지만 그렇다 하더라도 리전은 감당하기 어려운 리스크다.

특히나 과학 문명이 발전시킨 문명 한가운데에서 악의를 가진 리전이 각성한다면 농담이 아니라 나라 한두 개 망하는 건 일도 아니다.

리전 특유의 해킹 능력은 그 어떤 첨단 기술로도 방어가 불가능하기 때문이다.

'괜히 기가스나 거대 설비에 필수적으로 영능을 각인하는 게 아니란 말이지.'

때문에 인공지능의 사용처는 극히 제한된다.

4단계와 5단계는 세계 연합의 동의는 물론이고 게임마스터께 허락까지 받아야 개발이 가능하며 3단계조차 생산은 꽤 되지만, 사용 기한이 엄격하게 제한되어 있다.

생산 비용이 만만치 않은데 사용 기한이 제한되니 단가

가 안 맞게 되는 것은 필연이다.

'인공지능보다 사람이 싸서 쓴다는 건 웃픈 상황이지만……. 덕택에 일자리를 얻은 시점에서 고맙다고 해야겠지.'

쓴웃음을 지은 나는 체다의 배를 두들겨 인벤토리가 가득 찬 킬리언스를 로그아웃. 킬리언스투로 사냥을 시켰다.

시간은 새벽 3시.

편의점 아르바이트는 꽤 여유로웠기에 나는 카운터를 지키며 체다에게 말했다.

"체다. G-뱅크 1173-5511. 오른다리에."

"야옹!"

작게 운 체다가 나와 눈을 맞춘다. 홍채 확인.

할짝!

손을 내밀자 손가락을 핥는다. DNA 확인.

"야옹!"

다시 한번 운 체다가 오른다리를 들었다. 갈색의 털이 차르르 드러눕고 팔은 디스플레이가 되었다.

은행 잔고는 228만 4500원이었다.

"좋아. 기본 소득이 들어왔군."

새벽 1시가 되어도 반응이 없어서 초조했는데 3시쯤 돼서야 들어온 상황. 나는 급한 과금부터 정리했다.

'일단 클래스를 사야 한다.'

저번처럼 전설 클래스를 뽑기 위함이 아니라 내 병사들에게 부여하기 위한 클래스가 필요하다.

등급이 높을 필요는 없다.

'일단은 병사들을 시스템 안에 편입시키는 게 중요해.'

일반 등급의 클래스와 고급 등급의 클래스는 사실 별 차이도 나지 않는다. 희귀 등급쯤 되면 꽤 유의미한 차이지만 그래 봐야 스텟 조금과 직업 버프가 생기는 정도.

그러나 직업이 있냐 없냐는 무한대의 차이다.

일반 직업이라도 일단 생기는 순간 병사들의 가능성은 드라마틱하게 변화한다. 일단 레벨 업이 가능해지며 [아이템]의 효과를 볼 수 있게 된다.

똑같이 뼈 장검(일반)을 들어도 참격의 위력이 달라지는 것이다.

'한동안 클래스 합성을 할 일이 없겠네.'

그렇게 생각하며 체다의 배를 두들겨 메모를 작성한다.

1. 클래스 소환. 최소 100장 이상.

클래스 소환권이 100다이아. 즉, 만원이니 기본 소득의 반을 클래스 소환에 써야 한다는 말이다. 뼈아픈 지출이지만 전쟁을 나 혼자만 할 게 아니라면 병사들을 강화시켜야만 한다.

문제는 과금해야 할 게 그뿐이 아니라는 사실이었다.

'슬슬 다른 기능들도 해금해야 해.'

리벤지는 여러 가지 방법으로 캐릭터를 강화할 수 있다.

물론 그게 선택지가 많다는 말은 아니다.

다 해야 한다.

'그중 첫 번째가 클래스지.'

모든 캐릭터는 10레벨마다 일정 퀘스트를 통해 클래스 카드를 얻을 수 있다. 심지어 40레벨부터는 [상급 클래스 소환권]을 준다고 한다.

인터넷을 뒤져 보니 저 상급 클래스 소환권을 노리고 리세마라를 하는 미친놈들도 있다고 들었다. 캐릭터를 40레벨까지 키우고 삭제하기를 반복하며 전설, 신화급 캐릭터가 나오길 기도한다든가.

'그리고 두 번째가 수호령. 세 번째가 펫이다.'

죄다 일반 등급이긴 해도 어쨌든 수호령과 펫을 가지고 있는 리벤지의 캐릭터들과 다르게, 아르데니아의 나는 클래스밖에 없다.

리벤지의 캐릭터들과 다르게 아르데니아에는 퀘스트도 메인 시나리오도 이벤트도 존재하지 않기 때문이다.

수호령(守護靈).

클래스에 맞먹을 정도로 강력한 스펙 업 수단이다.

아르데니아에 존재하는 신수. 신령. 혹은 몬스터의 영혼을 수호령으로 삼아 문신으로 몸에 새기는 것이다.

그리고 그렇게 수호령을 받아들이면 해당 수호령의 스텟이 상태창에 더해지며 그 등급이 희귀 이상이면 특수한 버프나 능력이 더해지는 경우도 있다고 한다.

수호령은 클래스와 다르게 경험치로 성장하지 않고 오직 장비를 분해해 얻을 수 있는 [혼의 결정]으로만 성장한다.

'그야말로 장비 잡아먹는 괴물이지.'

일반급은 분해제 가격 때문에 효율이 안 나오고 희귀급은 그 자체로 비싸기 때문에 보통 고급을 분해해 성장시키는데 수호령을 쓸 만한 수준으로 성장시키려면 고급 장비 수천 개는 우습게 녹여야 한다고 한다.

마지막으로 펫(Pet).

말 그대로의 콘텐츠이다. 플레이어를 따라다니며 버프를 걸어 주거나 혹은 함께 싸워 주거나, 혹은 타고 다닐 수 있는 애완동물을 뽑는 것.

일반이나 고급 등급의 펫은 그야말로 있으나 마나 한 존재지만 고등급의 펫은 절대 무시할 수 없는 효과를 가지고 있다.

녀석들은 사냥 경험치를 먹고 자라는데 최소 10%에서

최대 50%까지 펫에게 양보할 수 있다고 한다.
나는 체다의 배를 두들겨 메모를 추가했다.

2. 수호령. 펫 소환. 최소 고급 이상.

이것들은 병사는커녕 가신들한테도 줄 여유가 없다. 일단은 나나 뽑아서 챙기는 게 우선이리라.
'네 번째는 장비와 스킬.'
일반, 고급 등급의 스킬이야 골드를 모아 스킬북 상점에서 살 수 있지만 희귀급 이상은 과금을 하는 수밖에 없다.
물론 드랍으로도 희귀급이 떨어지지만…… 아이템이든 스킬북이든 그런 식으로 얻으려다가는 말 그대로 무한정의 시간이 들어가게 되리라.

3. 희귀급 이상의 전용 장비와 전용 스킬.

'다섯 번째는 팔찌와 벨트.'
리벤지에는 오로지 과금으로만 얻을 수 있는 캐시 액세서리 칸이 존재한다.
당연하지만 기본 액세서리(귀걸이, 반지, 목걸이)보다 성능이 뛰어나고 3에서 9강이 되면 사냥에 도움이 되는 고유 능력이 활성화된다.

다만 문제가 있다면, 역시나 가격이다.

'캐시 액세서리는 1강부터 오십 퍼센트 확률로 악세가 깨진단 말이지. 전용 주문서도 비싸고.'

등급은 희귀 등급부터 존재하며 가격은 5,000원(희귀), 5만 원(영웅), 50만 원(전설)이다. 신화급 캐시 액세서리 아직 존재하지 않는다.

4. +3강 이상의 캐시 액세서리.

그렇게 정리하고 메모장을 종료한다.

"일단은 이 정도인가."

물론 이것 말고도 과금 요소는 더 있다. 직업 숙련도. 전투 성장 소모품. 클래스 각성. 장비 각인. 명성 개방……

그러나 그것들은 은행 잔고 수백따리가 감히 넘볼 영역이 아니다.

과금이 일상인 리벤지 유저들조차 '돈독이 올랐다'고 표현하는 미친 콘텐츠인 것이다.

효과는 틀림없지만 과금 효율이 너무 안 좋으니 없는 셈 치는 게 현명하리라.

어쨌든 결론은.

"아, 돈 나갈 게 끝이 없네……."

욕이 나왔지만 별수 없다. 당장 할 수 있는 것부터 해야겠지. 아무리 효율적으로 과금해도 저걸 다 할 수 있을 리 없으니 현실에서 돈을 벌어 놔야 한다.

띵동!

"어서 오세요."

기계적으로 인사한다. 상대의 모습을 확인하기도 전에 알콜 냄새가 코끝을 찌른다.

"장수해라 막걸리 있어?"

얼굴이 벌겋게 달아오른 중년 사내의 말에 물품 목록을 확인한다.

"아, 장수해라 막걸리는 없네요."

내 말에 중년 사내가 와락 인상을 찡그린다.

"아니 장수해라 막걸리가 얼마나 유명한데 그게 없어!?"

"그러게요. 다른 막걸리가 다섯 종류 있는데 보여 드릴까요?"

탁-

막걸리 리스트가 떠오르던 디스플레이를 사내가 쳐 냈다.

"그러게요? 뭐? 그러게~~~ 요? 너 이 새끼 태도가 뭐 이따위야? 없으면 주문을 해서라도 채워 넣어야지!"

"……."

"이 새끼 내 말 무시해!?"

와르르!

손을 내저어 진열되어 있던 상품을 바닥에 쏟아 버리는 사내를 보다 문득 과거의 내가 떠올랐다.

고등학교를 졸업하고 성인이 되었던 난 당연히 돈을 벌기 위해 알바를 했다. 우리 집안이 돈을 지원해 줄 만한 상황도 아니었고 기본 소득만으로 생활하기에는 상당히 빡빡했으니까.

그러나 내가 알바 자리를 일주일 이상 유지한 경우는 단 한 번도 없었다.

바로 지금 같은 경우 때문이다.

'추억이구만.'

나는 오만했다. 한심한 것은 뭣도 없는 놈이 오만했다는 점이다. 육체 단련을 할 때에는 독종 같은 인내심을 발휘하면서 이런 상황에서는 절대 참지 못했다.

물론 먼저 주먹질을 할 정도로 멍청하지는 않았다. 그 정도로 멍청했으면 교도소에 갔을 것이다.

대신 상대방을 조롱하고 자극해 덤비게 만든 뒤 두들겨 패 버렸다. 나는 주민등록상 이능 내력이 없기 때문에 쌍방과실이 뜨면 거의 무조건 훈방 조치.

그러나 어떤 미친 가게가 손님과 주먹질 하는 직원을

계속 쓰겠는가?

나는 사내를 보며 웃었다. 그리고 굽실굽실 허리를 숙였다.

“아이고. 형님 죄송합니다. 제가 술 맛을 잘 몰라서…… 사장님께 주문하자고 설득할 테니 참으세요.”

“에에잉! 술 맛도 모르는 것들! 이렇게 감이 없어서 장사를 어떻게 하나?”

꽥꽥 거리는 사내를 잘 달래서 내보낸다. 거의 30분 동안 떠들어 대던 사내가 떠나자 편의점이 적막에 잠긴다.

“…….”

나는 잠시 기묘한 감상에 빠졌다.

예전의 내겐 참을성이라곤 없었다. 누군가 나를 무시하고 함부로 대하면 나 역시 엿 같은 태도로 상대를 대했다.

—저 새끼가 먼저 선을 넘었어. 내가 왜 참아? 여기서 참는 게 오히려 내 자존감을 뭉개고 영혼을 짓밟는 행위지!

진심으로 그렇게 생각했다. 그것이 당연한 일이라 여겼다.

그러나 중세 랜드에서 20년을 살게 되면서…… 나는 많은 이들을 보고, 또 경험했다.

심심하다고 타인을 죽이는 살인광.

체면이 상했다는 이유로 수많은 사람의 피눈물을 쏟게 만드는 권력자.

그저 힘이 강하다는 이유만으로 아무렇지 않게 남의 것을 빼앗는 약탈자.

나는 그들과 싸워 죽여 버리기도 하고, 고개를 숙여 굴복하기도 했다. 그리고 그들을 억눌러 수하로 받아들이기도 했다.

나는 이제 안다.

누가 내가 그은 선을 툭 건들기만 해도 발작하듯 화가 났던 것은, 그들이 어마어마한 악인이어서가 아니라 조금만 상처 입어도 바닥을 드러내는 내 모자란 자존감 때문이라는 것을.

정말로 내 목숨을 노리는 적, 나를 야만인이라 경멸하는 진짜 야만인.

진심으로 나를 깔아뭉개기 위해 모욕을 일삼는 귀족들에 비하면.

술 취해서 고래고래 떠드는 사내는 그냥 한심한 인간 군상 중 하나일 뿐이다.

'뭔가 힘든 일이 있었겠지. 그 알량한 자존심을 편의점에 와서 찾아야 할 정도로.'

나는 피식 웃으며 사내가 흐트러트린 상품들을 제자리에 돌려놓았다.

그리고 카운터로 돌아와 체다를 두들긴다.

과금을 할 시간이었다.

다이아를 구매한 뒤 그 다이아로 클래스 소환 카드를 백 장을 구매했다. 이것만 해도 백만 원, 이제 남은 잔고는 겨우 128만 4,500원뿐이었다.

'더 이상 다이아는 구매할 필요 없다.'

페이지를 넘기자, 게임 속 재화인 다이아가 아니라 현금으로 구매하는 패키지란이 모습을 드러낸다.

'한정은 없군.'

리벤지에는 온갖 이유로 한정 패키지를 판매한다. 설날에는 설날 패키지, 추석에는 추석 패키지, 크리스마스에는 크리스마스 패키지, 블랙 프라이데이에는 블랙 프라이데이 패키지.

아쉽게도 오늘은 아무 날도 아니어서 항상 자리하고 있는 16종류의 패키지만 있다.

나는 패키지 상세 내역을 확인하며 그것들을 구매했다.

★☆아르데니아 정착 패키지☆★를 구매하셨습니다!

★☆배틀 패스☆★를 구매하셨습니다!

★☆그랜드 마스터 패키지☆★를 구매하셨습니다!

★☆동반자 패키지☆★를 2개 구매하셨습니다!

★☆수호령 패키지☆★를 2개 구매하셨습니다!

★☆마스터 스킬 패키지☆★를 2개 구매하셨습니다!

★☆용맹의 팔찌 패키지☆★를 구매하셨습니다!

★☆투쟁의 벨트 패키지☆★를 구매하셨습니다!

128만 원을 약간 넘는 잔고 중 백십만 원을 썼다. 이제 잔고는 18만 4500원.

'쓰는 건 정말 금방이네.'

효율이 제일 좋은 것은 역시 정착 패키지다. 5만 5천의 가격에도 다이아가 700개나 들어 있고 희귀등급 귀걸이, 반지, 목걸이가 하나씩 들어 있다.

심지어 고급 확정 펫 소환권에 가호의 성배 10개까지 들어 있다.

'그랜드 마스터 패키지에도 클래스 카드가 열 장 들어 있어서 클래스 카드는 이제 백십 장이야. 패키지에 확정 희귀 카드도 하나 있고.'

이러니저러니 해도 패키지로 구매하니 전설을 노렸던 전과 비교할 수 없는 효율이 나오는 상황. 나는 가볍게 손을 풀며 편의점 주변을 살폈다. 어두운 새벽 거리 위로 해가 떠오르고 있다.

거리에 슬슬 사람들이 오가기 시작했지만 편의점으로 오는 사람은 없었다. 나는 CCTV에 비치지 않도록 입을 손으로 가린 후 말했다.

"……로그인."

나는 아르데니아로 돌아온 뒤 리벤지 쪽에 있던 패키지를 꺼내 까 버렸다. 10개의 상자가 수십 개의 내용물로 변해 인벤토리를 가득 채운다.

나는 그것들 중에서 클래스카드 카드팩을 깠다.

촤릉!

한순간 장난스러운 표정의 여신상이 보이더니 열 장의 카드가 하늘로 솟구쳤다가 그대로 열 개의 무기로 변해 눈앞에 떨어진다.

이 모든 과정은 제 3자의 눈에도 보인다는 것을 확인했기에 내 전용 마차에 들어와서 하는 중이다. 다행히 소리는 그리 크지 않고 공간이 좁으면 좁은 대로 무기들의 크기가 작아졌기에(어차피 다 이미지니까.) 외부에서 상황을 알기는 어렵다.

차릉!

헌터(일반), 아처(일반), 아처(일반), 위저드(일반)……위저드(일반).

카드팩을 마구 깐다. 어차피 병사들에게 줄 직업을 얻기 위한 것들이었기에 등급에 목매지 않는다.

'겨우 백 장 긁어서 전설을 얻는 건 어차피 불가능하다.'

차릉!

위저드(일반), 실더(일반), 아처(일반), 위저드(일반)…… 위저드(일반).

위저드(일반), 어쌔신(일반), 위저드(일반), 클래릭(일반)…… 번쩍! 하이 위저드(고급)!

“아.”

카드깡을 하다 절로 인상이 찡그려진다.

“아니 위저드가 왜 이렇게 많이 나와.”

내가 원한 직업군은 전사(소드맨, 워리어, 실더) 쪽이고 전사가 아니더라도 도적(어쌔신, 아처, 헌터)은 나와줘야 했다.

왜냐하면 주스텟이 마력인 술사 쪽은 병사들에게 줘도 별다른 효과가 없기 때문이다.

아무것도 모르는 일반병들에게 마나가 생겨 봐야, 또 마나력이 강해져 봐야 뭐 하겠는가? 술법을 가르칠 환경도 여건도 되지 않는데.

물론 스킬명을 읊조리는 것만으로 영능을 발동할 수 있게 만드는 사기 아이템. 스킬북이 있다면 그들도 제 역할을 할 테지만……

‘감당이 안 돼.’

나 하나 스킬을 익히기에도 골드가 모자라다. 하루 10장씩 살 수 있는 장비 강화석도 골드가 모자라 다 4~5장으로 타협하는 상황이 아니던가?

병사들한테 일반 스킬 하나씩 사주는 일조차 꿈에 불과

하다.

'그래도 합성하긴 뭐하고…… 술사 카드는 남겨 둬야겠지.'

머리 좋은 놈들을 가려 뽑은 뒤 마법사 부대를 만들 수도 있고, 마나가 부족한 검사들에게 부여할 수 있을지도 모르니까. 일단은 그림을 크게 그려 보기로 했다.

번쩍!

그때, 장난스럽게 웃고 있던 여신상이 깜짝 놀란 듯 미소를 지웠다.

구구구……!

바닥에 박힌 검이 황금빛으로 빛이 나는 순간.

"어?"

나는 무심코 손을 뻗어 검을 잡았다.

-검의 극의를 조금씩 알겠다고 생각했을 때, 어느새 사람들은 나를 검의 왕이라 불렀다.-

[검왕(영웅)]

"……로그아웃."

일단 지구로 돌아와, 주변을 확인했다. 아직 해도 뜨지 않은 새벽 거리에는 아무도 보이지 않는다. 편의점에 아무도 없는 것은 당연한 일.

결국 참지 못한 신음이 터져 나온다.

"검…… 오오아아아아앙!?"

★☆전직 완료☆★

[검왕(영웅)]

근력+80 민첩+160 체력+80 생명력+40 마나+40

[공격 속도 50%상승]

[고수의 간합(間合)]

절로 주먹이 불끈 쥐어진다.

"검! 왕! 아니 세상에! 이게 이렇게 나오나?"

듀얼리스트도 나쁘지 않은 직업이지만 내게 크리 백 퍼센트 버그가 걸려 있는 거나 다름없는 상황이라는 것을 생각해 보면 듀얼리스트와 검왕의 전투력은 그야말로 차원이 다르다.

죄다 크리티컬 증가 방향이었던 듀얼리스트의 스킬과 다르게 검왕, 그러니까 검사, 검귀, 검왕, 검성 트리의 스킬에는 크리 증가 스킬이 하나도 없기 때문이다.

원래 검사 계열은 장비와 액세서리, 컬렉션으로 크리를 챙겨야 하는 직업이다.

"다 뒤졌다."

나는 카운터에 앉아 있는 뚱냥이. 체다의 배를 두들겨